Karlijn Stoffels *Het geheim van het gestolen grafbeeld*

Amsterdam Antwerpen
Em. Querido's Uitgeverij BV
2007

www.queridokind.nl

Omslagillustratie Georgien Overwater
Omslagontwerp Pauline Hoogweg

isbn 978 90 451 0564 2 / nur 283

Josie dekte de tafels in de eetzaal en zocht haar eigen naambordje. Elk jaar na de grote vakantie deelde de huisvader de tafelgroepjes opnieuw in. Vorig jaar had Josie met drie meisjes van haar eigen leeftijd aan tafel gezeten. Maar twee van hen woonden niet meer in het internaat.

Ze liep alle tafels langs. Haar naambordje hing aan een stoel bij het raam, dat was geluk hebben. Op die plaats kon je naar buiten kijken, naar de binnentuin van het oude klooster. Vroeger was het een kostschool voor schipperskinderen. Daarom heette het nog steeds Huize Boegbeeld. Nu woonden er kinderen van wie de ouders in het buitenland werkten of veel op reis waren.

Josie keek wie haar nieuwe tafelgenoten waren. Peter, die naast haar zou zitten, was een stuk ouder dan zij, en een ongelooflijke wijsneus. En wie was Moerad ook weer? Yoe Lan kende ze wel, die was pas acht. Waarom werden ze met zo'n baby opgescheept?

Het was toch al zo'n rotdag geweest, de eerste van het nieuwe schooljaar. En dan dit nog. Ze hing het naambordje van Yoe Lan aan een lege stoel een eindje verderop.

'Goed idee hè, Josefien? Die nieuwe indeling van de tafelgroepjes?' Roel, de huisvader, kwam handenwrijvend bij Josie staan.

Ze keek verbijsterd naar het achterlijke gebaar. Het leek of Roel uit een stoffig oud boek kwam. Zijn bijnaam was Razende Roeland, maar die sloeg echt nergens op. Hij was zo sloom als wat. Hij droeg sloffen in huis, meestal verkeerd om, niet achterstevoren maar de linkerslof aan de rechtervoet. Zo af en toe had hij zelfs een schort voor. Zijn haar was ouderwets geknipt, nog door een barbier waarschijnlijk, zo'n kapper uit de vorige eeuw, en hij was zo verstrooid als een professor in een lachfilm.

'Goed idee?' herhaalde ze dom. 'Nieuwe indeling?'

'Kijk, vorig jaar zaten jullie op leeftijd bij elkaar, jij en Marian enzovoort, maar in een echt gezin zijn de kinderen ook niet even oud, toch?' Roel keek Josie stralend aan. 'Dus nu hebben we verschillende jaargangen bij elkaar gezet.'

Hij keek fronsend naar het ontbrekende naambordje. 'Ik weet toch zeker...' Hij keek zoekend rond. Toen klaarde zijn gezicht op. Hij pakte het verplaatste kaartje van Yoe Lan en hing het op zijn oude plek. 'Peter is tafeloudste,' zei hij opgewekt, 'die kan een beetje op jullie passen.'

Fijn, dacht Josie. Het wordt steeds leuker.

Roel was nog niet uitgepraat. 'En het mooiste is dat jullie alle vier weekendkinderen zijn ook. Dan hebben jullie nog wat aan elkaar als alle anderen naar huis zijn en...'

Hij werd onderbroken door de etensbel. Meteen daarna kwamen alle kinderen binnenrennen. Ze hadden altijd allemaal honger en ze wachtten in de huiskamer ongeduldig op de bel.

Josie ging zitten.

'Hallo allemaal, wat eten we?' Peter was blond, net als Josie, maar hij had sproeten en een wipneus. Yoe Lan en Moerad waren ook gaan zitten.

'We eten rijst,' zei Moerad, 'nasi goreng. Lekker. Jij bent Josie. Jij komt uit de bagger.'

Daar gaan we weer, dacht Josie. Ellendig rotjong. Dit gaat nog een leuk jaar worden.

'Dat lijkt me hartstikke gaaf,' zei Moerad, 'op zo'n baggerschip de wereld rond. Dat ga ik later ook doen. Waar zijn je ouders nu?'

'In Argentinië,' zei Josie kortaf. 'Ze graven een haven. Maar hoe weet jij wat mijn ouders doen?'

'O, je bent berucht,' zei Moerad. 'Er gaan wilde verhalen over je. Je hebt de huisvader een keer in de sloot geduwd en de keuken in de fik laten vliegen, en...'

'Ja, nou, je moet niet alles geloven. Waarom hebben Yoe Lan en jij een eigen pannetje? Ben je vegetarisch?'

'Ik wel,' zei Yoe Lan.

Josie negeerde haar.

'Ik heb een héél speciaal dieet,' zei Moerad geheimzinnig. 'Zo speciaal dat Kokkie het niet kan maken. Daarom eet ik nasi met sojabrokken, net als Yoe Lan.'

Josie trok haar neus op. 'Hoe oud ben jij?' vroeg ze.

'Tien,' zei Moerad.

'Ik ben acht,' zei Yoe Lan. 'Vader Roel zei dat we een echt gezinnetje zouden worden.' Ze bloosde en at van haar kroepoek.

7

'Je mag pas na de stilte eten, puk,' zei Peter. 'Anders wordt Kokkie boos.'

Yoe Lan schrok en legde vlug de kroepoek terug op haar bord. Kokkie klapte in haar handen, de bidders baden en de rest was stil. Toen werd er alleen nog maar gegeten en was er geen ander geluid te horen dan het smakken van de huisvader.

Yoe Lan keek op het bord in de gang of ze geen corvee had. Gelukkig, ze had pas volgende week afwasdienst. Ze rende het huis uit. Ze pakte haar fiets uit de schuur en reed het weggetje op dat langs de molen naar de polders leidde.

In de zomervakantie had ze hier vaak gefietst. Vader had geen tijd en geld gehad om naar haar toe te vliegen. En zijn schip was ook niet in de buurt geweest.

Ik wou dat ik hier een vriendin had, dacht Yoe Lan verdrietig. Op de Chinese school zat ze naast Mei, en met haar kon ze goed opschieten, maar op het internaat kende ze niemand echt goed. Ze was er pas een jaar, en ze was te verlegen om zomaar op iemand af te stappen.

Ze stapte af bij de boerderij. Ergens op het erf blafte een hond. Ze hoorde hem altijd als ze hier langsfietste. Het geblaf klonk niet boos, maar angstig. Of verdrietig.

In de vakantie had ze een lijstje met goede voornemens gemaakt. Ze zou dit jaar vrienden gaan maken, dat was voornemen nummer één. Om te beginnen in haar tafelgroepje. En nu had de huisvader haar bij twee grote jongens gezet, en bij een onvriendelijk meisje. Yoe Lan was bang voor Josies scherpe tong. Met haar zou ze nooit vriendinnen kunnen worden.

Het blaffen was opgehouden. Ze tuurde naar de boerderij. Er was geen teken van leven. Ze was al een paar keer eerder afgestapt, en ze had zelfs haar fiets een keer tegen een boom gezet. Maar het erf op lopen, dat durfde ze toch niet.

De hond sloeg opnieuw aan. Misschien rook hij haar. Het gejank ging haar door merg en been. Opeens vergat ze haar angst. Ze zette haar fiets neer en liep het grindpad op.

Achter de boerderij stond een metalen hondenhok en daarin ging een grote zwarte herder tekeer. Hij sprong tegen de tralies op toen Yoe Lan dichterbij kwam en gromde al zijn tanden bloot. Maar Yoe Lan stond veilig achter het hek.

'Dag Woelf,' zei ze. 'Ik noem je Woelf.'

Woelf gromde diep in zijn keel.

Yoe Lans hart bonsde, maar niet van angst. Ze was boos. Je mocht een hond niet zomaar opsluiten, dan werd hij vals. En vals betekende ongelukkig. Zou ze hem uit het hok laten? Ze keek naar de grendel. Er zat geen slot op. Toen keek ze naar de blikkerende witte tanden van Woelf.

'Ik ga je eerst temmen,' zei ze. Toen liep ze vlug het grindpad weer af, langs de boerderij. Er was nog steeds niemand te zien.

De volgende dag ging Yoe Lan naar de slager in het winkelcentrum. Ze bleef een tijdje voor het raam staan en keek naar binnen. Achter de toonbank stond een grote vriendelijke man met een rond gezicht. Hij hielp de klanten. Twee jongens stonden vlees te snijden. Zij hadden net zulke ronde gezichten.

Yoe Lan liep naar binnen.

'Hoeveel kost een groot bot?' vroeg ze heel zacht toen ze aan de beurt was.

'Een soepbeen?' vroeg de slager. 'Voor jou niks.' Hij gaf haar een mooi bot.

Toen Yoe Lan bij de boerderij kwam slipte ze over het grind, zo haastig nam ze de bocht. Ze smeet haar fiets tegen een boom. Gelukkig, nog steeds geen mens te zien. Misschien woonde er niemand op de boerderij.

Ze sloop naar het hondenhok. Woelf blafte zijn keel schor. Ze gooide het been in het hok en de hond sprong eropaf.

'Wat mot dat?' riep iemand.

Yoe Lan schrok. Ze had de boer niet horen aankomen doordat Woelf zo hard geblaft had. Ze was zo boos dat ze vergat hoe verlegen ze was.

'Een hond wordt vals als je hem opsluit,' zei Yoe Lan. 'Dat heb ik in de *Donald Duck* gelezen.'

De boer zette zijn kruiwagen neer en grinnikte. 'Hij was al vals,' zei hij. 'Ik ben de enige die in het hok kan komen.' De boer was nog jong, en hij had zijn pet achterstevoren op zijn hoofd gezet. Hij keek niet onvriendelijk. 'Als je hem wilt temmen, mag je het gerust proberen. Zo heb ik ook niks aan hem. Mijn vrouw is als de dood voor dat beest.' Hij pakte zijn kruiwagen en liep weg.

'Ben je daar nou alweer?' vroeg de slager na een week. 'Dit is al de vierde keer dat ik je zie. Wat moet je met al die botten? Ben je een skelet aan het bouwen?'

De jongens achter de toonbank lachten.

Yoe Lan keek naar de grond. 'Het is voor mijn hond,' zei ze zachtjes.

Toen kreeg ze ook nog een stukje vlees mee.

'Vertel je moeder maar dat alles hier goed en goedkoop is,' zei de slager.

Yoe Lan kreeg het warm. Ze wilde zich omdraaien om weg te lopen. Toen dacht ze aan Woelf en aan de lekkere botten van de slager.

'Ik heb geen moeder,' zei ze tegen de toonbank. 'Alleen een huisvader.'

'O,' zei de slager. 'Wil je dan een stukje worst? Voor jezelf?'

Yoe Lan schudde haar hoofd. Ze keek even op. Ze kon zien dat de slager haar maar zielig vond. 'Mijn eigen vader is op de grote vaart,' zei ze. 'Hij is scheepskok.'

'Nou, zeg dan maar tegen je huisvader dat het vlees hier goed en goedkoop is,' zei de slager. 'Of krijgen jullie zo'n karretje met fabriekseten?'

'Wij hebben een kok,' zei Yoe Lan. 'Ze is Surinaams en we noemen haar Kokkie.' Ze liep vlug de winkel uit met haar buit.

Na een paar weken gromde Woelf niet meer naar Yoe Lan. En op een dag kwispelde hij toen hij haar aan zag komen. Toen wist Yoe Lan dat ze hem getemd had. Ze wachtte tot woensdag. Dan had ze 's middags vrij. Ze zou het hok openmaken en bij Woelf naar binnen gaan.

Op die woensdagmiddag was Yoe Lan naar de slager geweest. Hij had haar een bot gegeven en een stuk soepvlees. Daarna was ze staande op haar trappers naar de boerderij gefietst.

Ze liep met bonzend hart naar het hok toe. Woelf stond te blaffen en te kwispelen. Eerst gooide ze het bot en het stuk vlees in het hok, toen schoof ze de grendel van de deur.

Woelf schrokte het vlees op en begon toen aan het bot te knagen.

Yoe Lan hield haar adem in. Ze schoof door een kier van de deur naar binnen en trok hem meteen achter zich dicht.

Woelf keek op en was in één sprong bij haar. Hij vloog tegen haar op en gooide haar omver.

Yoe Lan kneep haar ogen dicht. In de verte hoorde ze iemand schreeuwen. Woelf stond boven op haar. Ze verwachtte elk ogenblik zijn scherpe tanden in haar hals.

Een lik. Twee likken. Yoe Lan deed één oog open. En meteen weer dicht, want Woelfs tong hing boven haar gezicht.

'Blek!' Dat was de boer die riep.

Woelf sprong opzij en jankte. Eigenlijk heette hij dus Blek.

Yoe Lan kwam overeind.

'Stomme meid!' riep de boer. 'Hij had je wel dood kunnen bijten!'

Yoe Lan veegde het zand van haar rok. 'Hij kwispelde,' zei ze buiten adem.

'Ja, ik kwispel ook,' zei de boer. 'Maak dat je wegkomt, vooruit!'

Yoe Lan rende het hok uit, pakte haar fiets en reed weg. Haar hart bonkte als een razende. Maar toen ze op de verharde weg kwam liet ze haar stuur los, gooide haar armen in de lucht en juichte.

Het was al half oktober, maar het leek wel zomer. De zon had de hele week geschenen. En ook op zaterdag was het mooi weer.

'Zullen we iets leuks gaan doen?' vroeg Peter bij het ontbijt. 'Als ik een week op school heb gezeten voelen mijn armen en benen aan alsof ze van plaksel zijn.'

Moerad smeerde een dikke laag chocopasta op zijn boterham en strooide er bergen hagelslag over. De huisvader was nergens te bekennen. In het weekend sliep Razende Roeland altijd uit. Er was niemand in de eetzaal behalve zij vieren. Iedereen was die ochtend al vroeg opgehaald.

Moerad grinnikte en rekte zich uit. 'Ik weet precies wat je bedoelt, Peter. Mijn spieren zijn van pap. Zullen we een potje voetballen?'

'Leuk hoor,' zei Josie. 'We lijken wel een echt gezinnetje. De jongens gaan voetballen en ik kan zeker het kleine kind voorlezen.'

Yoe Lan keek naar haar bord. De afgelopen weken had Josie de helft van de tijd nare opmerkingen tegen haar gemaakt en de andere keren net gedaan alsof ze niet bestond. Als Yoe Lan Woelf niet had gehad was ze misschien wel huilend van tafel gelopen.

'Josie, als je zo flauw doet tegen Yoe Lan dan zoek je maar een andere tafelgroep,' zei Peter.

'Nou, het is toch zeker zo?' zei Josie. 'Waarom zitten wij opgescheept met dit bange muisje?'

Peter keek naar Yoe Lan. 'Heb jij al plannen voor vandaag, Yoel?'

Yoe Lan haalde diep adem. Ze keek niet naar Josie.

'Ik ga mijn hond uitlaten,' zei ze. 'Voor het eerst. Misschien bijt hij me dood.'

'Wat voor hond? Waar? Hoezo?' riepen de jongens.

Yoe Lan vertelde over Woelf.

'O, laten we allemaal gaan!' zei Moerad.

'Leuk!' riep Josie. 'Laten we gaan kijken of hij Yoe Lan doodbijt!'

Moerad lachte, maar Peter keek Josie met gefronste wenkbrauwen aan.

'Het is maar een grapje,' zei Josie.

'Bewaar je grapjes maar voor op school,' zei Peter. 'Wij gaan het hier gezellig maken met z'n vieren.'

Josie stak haar tong naar hem uit.

'Of met z'n drieën,' zei Peter. 'Zullen Moerad en ik met je meegaan, Yoel?'

'Josie kan ook meekomen,' zei Yoe Lan. 'Woelf zal me tegen haar beschermen.'

Ze schrok van haar eigen woorden, maar de jongens lachten.

Eerst moesten ze afruimen en de vaat doen. In het weekend waren Kokkie en de huishoudster weg en de afwasmachine was dan buiten gebruik. Daarna gingen ze naar boven om hun bedden op te maken, hun kleren in de was te gooien en op te ruimen.

Toen ze eindelijk allemaal klaar waren holden ze naar hun fietsen en reden weg.

Woelf ging als een razende tekeer toen hij hen zag. Hij gooide zich tegen de tralies van zijn hok en blafte oorverdovend.

'Wauw!' riep Josie. 'Lekker schoothondje is dat!'

Yoe Lan haalde de riem tevoorschijn die ze voor Woelf gekocht had. Het was een rode leren riem met zilverkleurige noppen.

'Doe jij meteen de deur achter me dicht?' vroeg ze aan Moerad.

'Je gaat dat hok toch niet in?' zei Peter. 'Dat vind ik niet goed, hoor.'

'Dat doe ik zo vaak,' zei Yoe Lan. Maar haar benen trilden.

'En als hij je bijt?' zei Moerad.

'Wees maar niet bang,' zei Josie. 'Ze durft toch niet.'

Yoe Lan schoof de grendel van de deur.

Woelf lag aan een oud bot te knagen, maar zodra Yoe Lan het hok binnenkwam vloog hij op haar af en gooide haar omver.

Josie gilde.

Van schrik vergat Moerad de deur van het hok dicht te doen.

Peter deed een stap naar voren. Hij aarzelde. Zou hij het hok in gaan om Yoe Lan te helpen? Of zou de hond dan nog kwader worden?

Je kon haast niks meer van de kleine Yoe Lan zien. Toen hoorden ze haar benauwde stemmetje.

'Ga van me af, monster.'

Woelf gehoorzaamde. Hij bleef kwispelend voor Yoe Lan staan.

Ze krabbelde overeind. Voorzichtig stak ze haar hand uit en pakte zijn halsband vast.

Woelf stond heel stil. Hij kwispelde niet meer.

De drie kinderen buiten het hok hielden hun adem in.

'Rustig, jongen,' zei Yoe Lan. 'Hij is braaf. Woelf is een brave hond.' Ze maakte de riem vast en keek de drie anderen trots aan.

De boer kwam haastig aanlopen. 'Wat...' begon hij.

Peter keek om en legde zijn vinger op zijn lippen.

Yoe Lan deed de deur van het hok verder open. Ze trok zachtjes aan de riem. 'Kom Woelf,' zei ze. 'We gaan een eindje wandelen.'

Josie en de jongens gingen achteruit. Ze vormden een soort erehaagje waar Yoe Lan met opgeheven hoofd doorheen liep, met Woelf kort aan de riem naast zich.

'Asjemenou!' zei de boer.

'Dit is Peter,' zei Yoe Lan ernstig tegen Woelf. 'Peter is dertien, hij is de oudste. Wij moeten naar hem luisteren, maar jij hoeft alleen naar mij te luisteren.'

Woelf kwispelde.

Ze zaten in de berm tegenover de molen. Woelf zat tegen Yoe Lan aan en de anderen zaten er op veilige afstand omheen. Ze hadden een heel eind over de polderweg gelopen. Woelf was overal stil blijven staan om te ruiken, en hij hield niet op met kwispelen.

'Nu ga ik jou aan Peter voorstellen,' zei Yoe Lan tegen de hond. 'Peter, dit is Woelf.' Ze klopte de herder op zijn rug. 'Mag Peter je aaien?'

'Nou, dat doe ik niet hoor,' zei Peter. 'Laat Josie eerst maar, die is toch nergens bang voor.'

'Woelf, dit is Josie,' zei Yoe Lan. 'Josie is elf jaar en ze zit in groep acht. Josie – Woelf. Woelf – Josie.'

Josie schoof een eindje naar voren. Woelf keek haar aan en kwispelde. Toen stak Josie langzaam haar hand uit en legde die in zijn nek. 'Brave hond,' zei ze.

Peter en Moerad ademden hoorbaar uit. En toen durfden zij ook.

'Tof,' zei Moerad. 'Ik heb altijd al een hond willen hebben.'

'Hij hoort bij mij,' zei Yoe Lan.

'En jij hoort bij ons,' zei Peter. 'Kom op jongens, we gaan een ijsje halen om het te vieren. Gisteren kwam ik langs de ijssalon. Morgen gaan ze dicht voor de winter, dus het is half geld. Ik trakteer.'

Ze sprongen overeind. Woelf blafte en kwispelde zijn staart er bijna af.

In de week die volgde zagen de drie anderen Yoe Lan alleen bij de maaltijden. En meestal kwam ze ook nog te laat aan tafel. Als ze uit school kwam reed ze meteen naar de slager en daarna door naar de boerderij. Ieder vrij uurtje was ze met Woelf in de weer.

Aan tafel had ze het hoogste woord.

'Ik leer hem opzitten en een poot geven,' zei ze bijvoorbeeld op maandag. 'En ik heb hem gezegd dat hij me wel mag likken, maar niet in mijn gezicht.'

'En wat zei hij toen?' vroeg Josie.

Peter keek haar waarschuwend aan. Josie haalde haar schouders op, maar Moerad lachte.

'Hij zei dat hij het jammer vond,' zei Yoe Lan ernstig, 'maar dat hij het wel begreep. En toen likte hij over mijn arm. Dat vond ik goed.'

Op dinsdag leerde ze hem naastlopen. Op woensdagmiddag, toen ze vrij had en veel tijd met hem kon doorbrengen, deed ze de riem af en liet Woelf los.

'Hij luistert naar me!' zei ze donderdags opgewonden bij het ontbijt. 'Hij kan liggen en zitten op bevel!'

'Wie?' vroeg Moerad. 'Razende Roel?'

'Woelf!' zei Yoe Lan onverstoorbaar. Als het om Woelf ging vergat ze verlegen te zijn. 'En als ik hem roep komt hij. Morgen leer ik hem oversteken.'

'Dat is wel de vlugste leerling die er bestaat,' zei

Moerad. 'Ik wou dat ik mijn breuken zo snel snapte.'

'Maar hij was al afgericht,' zei Yoe Lan. 'Voor hij vals werd. Het is alleen een beetje weggezakt.'

'Hoe is hij dan vals geworden?' vroeg Peter.

'De boer zegt dat iemand hem kwaad gedaan heeft, maar ze weten niet wat.'

'Dat is heel goed,' zei Josie, 'dan is hij lekker fel als het nodig is.'

'En waarom is dat nodig?' vroeg Peter. 'Niet iedereen hoeft zo'n driftkop te zijn als jij.'

'Erg leuk,' zei Josie.

Moerad sprong op. 'Je moet hem leren wat "Pak ze!" is,' riep hij opgewonden. 'Als iemand je dan aanvalt zet hij zijn tanden erin!'

'Goed idee!' zei Josie. 'Maar dan moet hij wel op iemand oefenen. Iemand om te bespringen en in te bijten. Vrijwilliger gevraagd, Moerad.'

Moerad ging weer zitten. 'Jij zit op judo,' zei hij. 'Jij kunt een verwurging met hem doen.'

'Verwurging?' vroeg Yoe Lan.

'Ik mag geen judo doen met een hond,' zei Josie. 'Dat staat in het reglement.'

'Maar het zou wel mooi staan, zo'n zwarte hond in een wit pakkie,' zei Moerad.

Op vrijdag leerde Yoe Lan Woelf op de stoep wachten tot hij mocht oversteken.

En toen waren ze allemaal blij dat het weekend was. Ze hadden afgesproken dat ze er samen op uit zouden gaan. Het was nog steeds mooi weer.

Yoe Lan had bijna niet kunnen slapen. Ze was altijd in haar eentje geweest, en nu had ze twee vrienden en

21

een hond. En Josie. Die was geen van beide.

'Ik heb Kokkie gisteren gevraagd of ze een picknick voor ons wilde maken,' zei Peter op zaterdagochtend. 'Ze dacht dat het te koud zou zijn, maar ik heb gezegd dat het vandaag mooi weer zou worden, en toen vond ze het goed.'

'Jippie!' riep Moerad. 'Lang leve het broeikaseffect!'

'Wat zeg je?' vroeg Yoe Lan.

'Dat betekent dat de aarde steeds warmer wordt,' zei Peter. 'Maar ik wil wel graag schaatsen deze winter.'

'En een witte kerst,' zei Josie.

'Eerst komt Sinterklaas nog,' zei Moerad. Hij smeerde een dikke laag margarine op zijn boterham, zodat de speculaasjes goed bleven plakken. Toen stak hij een halve boterham in zijn mond. 'Bad deef Goggie de baak?' Hij at vlug zijn mond leeg. 'Wat heeft Kokkie voor ons gemaakt, bedoel ik?'

Yoe Lan zat te dromen. Zo nu en dan stak ze een stukje brood in haar mond met niets erop. Het maakte haar niet uit wat ze at, ze dacht alleen aan Woelf.

'Laten we gaan kijken,' zei Peter. Ze brachten hun borden en bestek naar de keuken en keken in de koelkast. Er lag een plastic tas in met een briefje waar *Peter* op stond. 'Brood en drinken mogen we zelf pakken,' zei Peter. 'En koek of snoep.' Hij maakte de tas open. 'Koude kip!' zei hij. 'Eiersalade voor jou, Moerad. Of mag je wel kip?'

Moerad schudde beteuterd zijn hoofd.

'Eten vegetariërs eieren?' vroeg Peter aan Yoe Lan.

'Niet allemaal,' zei Yoe Lan. 'Maar ik wel. En ik weet wat. We halen een bot voor Woelf. Woelf gaat ook picknicken. Daar zijn honden dol op.'

'Ik zou een stengel bleekselderij voor hem meenemen,' zei Josie. 'Als je zelf geen vlees eet moet je het je hond ook niet geven, lijkt me.'

Peter kuchte.

'Wat nou weer, Peter?'

'Denk na,' zei Peter, 'als je dat kunt. Hoeveel keer per dag denk je dat Yoe Lan iets te horen krijgt over vlees eten en zo? En of ze leren schoenen draagt? Of beestjes plattrapt op straat? Vind jij het leuk als ze je "Bagger" noemen?'

'Hoe weet jij dat ze me zo noemen?' vroeg Josie. 'Jij zit niet bij mij op school.'

Peter haalde zijn schouders op en pakte de picknicktas verder uit. Er zaten roti's in, voor bij de kip, en hardgekookte eieren. Ze pakten appels, drinken, brood en gevulde koeken uit de provisiekast en toen gingen ze op weg naar de slager.

'Ha!' zei de slager toen hij Yoe Lan zag. 'Zijn dit je vrienden die zo van botten houden?' De jongens achter in de winkel lachten.

'Nee,' zei Yoe Lan ernstig. Ze wees op Moerad. 'Dit is de jongen die van koude kip houdt bij de picknick. Mag je wel Turkse kip, Moerad?'

Moerad knikte.

'Maar ik heb geen koude kip,' zei de slager. 'Sorry jongen.'

'Wat is dat dan?' vroeg Josie. Aan een spit in de etalage draaiden wel tien knapperige bruine kippenbouten rond.

'Dat is warme kip,' zei de slager.

Yoe Lan kocht gegrilde kip voor Moerad.

Josie wilde vragen of vegetariërs wel vlees mochten kopen, maar ze keek naar Peter en hield haar mond.

'En,' vroeg de slager, 'heb je je Kokkie al verteld dat hier alles goed en goedkoop is?'

'Vergeten,' zei Yoe Lan.

'Ze vergeet alles,' zei Moerad grinnikend. 'Ze denkt de hele dag alleen aan haar hond.'

'Nou, hier is je bot,' zei de slager.

'Kom op, jongens,' riep Peter ongeduldig.

'En meisjes,' zei Josie vinnig.

'Zeur niet,' zei Moerad. 'Op naar Woelf!'

Ze sprongen op de fiets.

Begin november werd het eindelijk koud. Ze konden niet meer gaan picknicken. En dat was maar goed ook, want Sinterklaas kwam eraan. Ze moesten surprises maken en gedichten schrijven. Maar eerst de verlanglijstjes maken natuurlijk. Op een winterse zaterdag gingen ze na het ontbijt in de huiskamer zitten.

'Schaatsen?' zei Josie tegen Yoe Lan. 'Wat moet jij nou met schaatsen? Je kunt niet eens schaatsen!'

Yoe Lan werd rood. Ze verscheurde het blaadje waarop ze haar verlanglijstje aan het schrijven was.

'Hou je kop, Josie,' zei Peter. Als de feestdagen in zicht waren was hij altijd in een slecht humeur. Dan miste hij zijn moeder. Ze was model en deze week was ze in Hawaï voor een fotoshoot. Voor bikini's, dacht Peter somber. Hij wilde niet aan Shirley denken zoals ze op de cover van een glanzend damesblad zou komen te staan, met haar gebruinde lange benen. Ze zei zelf steeds dat ze te oud werd voor dit werk, maar bij de damesbladen dachten ze er anders over. Hij schudde zijn haar naar achter en beet op zijn pen. 'Hoe moet Yoe Lan ooit leren schaatsen,' zei hij tegen Josie, 'als ze geen schaatsen heeft?'

'Hoe moet ze het leren als ze wél schaatsen heeft?' zei Josie. 'Het vriest nooit.'

'Op de schaatsbaan,' zei Yoe Lan zacht. 'Van IJsbrand.'

'Dat is je gymleraar, toch?' zei Moerad.

Yoe Lan knikte. 'Maar nu moet ik steeds schaatsen huren.'

'Ik vraag een mobieltje met camera voor Sinterklaas,' zei Moerad.

'Dat is veel te duur,' zei Peter. 'Je mag één cadeau vragen aan de huisvader, en een kleintje voor het lootjes trekken.'

'Dan vraag ik er een aan mijn vader voor mijn verjaardag,' zei Moerad, 'die koopt-ie wel ergens taxfree.'

'Waar is jouw vader?' vroeg Yoe Lan.

'In de wolken,' zei Moerad.

Yoe Lan fronste haar voorhoofd. 'De mijne is op zee,' zei ze na een tijdje.

'Hij is piloot,' zei Moerad.

Yoe Lan bloosde en keek naar haar versnipperde verlanglijstje.

'Weet je wat,' zei Moerad, 'ik vraag ook schaatsen. De schaatsbaan is best ver weg, we kunnen samen op de fiets gaan.'

'Mag Woelf dan ook mee?' vroeg Yoe Lan.

'Natuurlijk,' zei Josie smalend. 'Er is een speciale leraar voor het hondenschaatsen.'

'Echt waar?' vroeg Yoe Lan.

'Politiehonden moeten toch ook kunnen schaatsen,' zei Josie. 'Als ze boeven gaan vangen in de winter.'

'O ja,' zei Yoe Lan. 'Dan laat ik Woelf schaatsles nemen. Zou dat duur zijn?'

Josie snoof luidruchtig. 'Jij gelooft ook alles wat iemand zegt hè? Wat ben je toch een uilskuiken.'

'Woelf mag niet mee naar binnen bij de schaats-baan,' zei Moerad vlug. 'Maar dit jaar gaat het vast en zeker vriezen en dan mag hij mee de sloot op.'

Yoe Lan stond op. 'Ik ga met Woelf wandelen,' zei ze zacht.

Peter keek boos naar Josie.

'Mag een grapje ook niet meer?' vroeg ze. Ze schreef een wens op, gooide haar schrijfblok op tafel en liep de kamer uit. Ze smeet de deur achter zich dicht.

Moerad kwam overeind om haar achterna te gaan.

'Laat haar maar,' zei Peter. 'Ze draait wel weer bij. Het komt vast door de feestdagen. Haar ouders ko-men dit jaar niet, en ze kan ook niet bij ze langs in Ar-gentinië.'

Josie rende de trap op. Ze had een eigen kamer-tje, want niemand wilde een kamer met haar delen. Ze vond het best, ze was liever alleen.

Ze probeerde niet aan thuis te denken, maar dat lukte niet. Ze zag de gezellige warme huiskamer van de woonboot voor zich waar ze de eerste vijf jaar van haar leven gewoond had, met haar vader en moeder en Keesje, de scheepshond.

Vroeger ging Josie met kerst naar huis, als het schip in Frankrijk lag of in Duitsland. Toen baggerden haar vader en moeder nog in Europa. Ze hadden een duw-boot voor de baggerschuit, en een woonschip met een motor. 'Onze waterkaravaan,' zei haar vader altijd trots. Maar nu waren haar ouders al maanden in Ar-gentinië om een haven uit te baggeren. Ze woonden daar in een hotel. Josie zou in haar eentje Sinterklaas moeten vieren, en in haar eentje de kerstboom optuigen.

Nou ja, niet helemaal alleen, samen met de andere kinderen. Maar dat was niet hetzelfde als met je eigen vader en moeder. Ze ging op bed zitten en stompte in haar kussen.

Yoe Lan trok haar wanten aan en zette een muts op. Ze rilde, maar het was niet van de kou. Het kwam door Josie. Zonder haar zou ze allang gewend zijn aan haar nieuwe tafelgroepje. Yoe Lan wilde niet meer aan haar denken.

Ik hoop dat ik schaatsen krijg, dacht ze. En dat het gaat vriezen. Maar ook al ging het niet vriezen, dan kreeg ze toch elke woensdagmiddag les van IJsbrand op de schaatsbaan.

Als ze aan IJsbrand dacht kreeg ze het vanzelf warm. Hij leek op haar vader. Haar vader was klein en donker en IJsbrand was lang en blond en bleek. Haar vader had een hoge zachte stem en IJsbrand een zware en luide. Haar vader had een kleine platte neus en IJsbrand een grote scheve. Toch lijkt IJsbrand precies op papa, besloot Yoe Lan vrolijk.

Ze zette haar fiets bij het hek van de boerderij waar Woelf woonde, trok haar wanten uit en liep naar het hok. De hond had haar al gehoord. Hij zei niets, maar kwispelde zijn staart er bijna af. Yoe Lan schaamde zich. Ze had Woelf verwaarloosd. Op woensdag had ze schaatsles, en de afgelopen zondag had ze ook geen tijd voor hem gehad. Toen was er een feest geweest op de Chinese school, waar ze een keer per week les had.

Ze had afgesproken met Mei om samen te gaan, maar haar vriendin had afgebeld. Haar stem had raar geklonken. Ze deed al een paar weken vreemd, bedacht Yoe Lan. Ze lachte niet meer en was heel stil. Maar het was Yoe Lan niet gelukt erachter te komen wat Mei dwarszat.

Yoe Lan deed het hok open en bedacht dat ze door het gepest van Josie ook nog vergeten was een bot te halen.

Woelf kon het niets schelen. Hij sprong tegen zijn baasje op en likte haar waar maar een stukje bloot te vinden was, op haar handen en in haar hals. Daarna jankte hij zachtjes en probeerde de wollen draadjes van haar das uit te spugen.

'Kom Woelf,' zei Yoe Lan. 'We gaan leren schaatsen.'

'Wat zeg je me nou? Gaat de hond schaatsen?' De boer stond achter haar te lachen.

'Wij gaan leren schaatsen,' zei Yoe Lan ernstig. 'Als ik het ijs op ga moet Woelf mee. En dan mag hij niet uitglijden. Een echte speurhond gaat overal mee naartoe.'

'Je hebt gelijk,' zei de boer, en hij zette zijn pet recht. 'Blek is vast de beste speurhond die er is.'

'Natuurlijk,' zei Yoe Lan. 'Ik heb hem leren spoorzoeken, voor als ik iets kwijt ben, en naastlopen en op wacht staan.' Ze deed de mooie rode riem met zilveren noppen aan Woelfs versleten bruine halsband. 'Nu gaan we trainen voor het schaatsen.'

Op het weggetje langs de molen leerde Yoe Lan Woelf schaatsen. 'Als je vast op het droge oefent,' had meester IJsbrand in de gymles gezegd, 'weten je spieren wat ze moeten doen als je je op glad ijs bevindt.'

'Poten uitslaan, Woelf,' zei Yoe Lan, 'dan maak je meer vaart.' Ze deed het voor en schaatste op haar laarzen over de grindweg. 'Vooroverbuigen, Woelf!' riep ze. 'Dan val je niet op je rug, en je vangt minder wind.'

Woelf deed zijn best, en Yoe Lan ook. Na een uur trainen viel ze hijgend op de bank neer die tegenover de oude molen stond. Ze haalde een biscuitje uit haar zak en gaf het aan Woelf, die met zijn kop op haar knie lag uit te blazen van de zware training.

'IJsbrand zal trots op ons zijn,' zei Yoe Lan tevreden.

De laatste zaterdag van november wilde Yoe Lan een lange tocht met Woelf gaan maken, maar op vrijdagavond belde Mei op en vroeg of Yoe Lan zaterdag bij haar kwam spelen. Meis stem klonk zo treurig dat Yoe Lan meteen ja zei.

Toen ze in bed lag dacht ze er pas aan dat ze nog nooit bij Mei geweest was. Haar vriendin woonde in het centrum, op de Zeedijk. Hoe moest Yoe Lan daar komen? Ze durfde helemaal niet in haar eentje naar de stad. Maar ze wist zeker dat er iets aan de hand was met Mei, iets naars, en Yoe Lan kon haar niet in de steek laten.

's Morgens belde ze Mei terug. Mei haalde haar moeder erbij, en die vertelde Yoe Lan welke tram ze moest nemen en hoe ze vanaf de halte verder moest lopen. Yoe Lan schreef het op.

'Mag je wel alleen, zo ver?' vroeg Meis moeder.

'Eh... Ja hoor,' zei Yoe Lan. Daar had ze helemaal niet aan gedacht. Natuurlijk zou de huisvader het nooit goed vinden dat ze alleen met de tram ging. En Peter, als groepsoudste, ook niet. Maar ze ging niet alleen, bedacht ze. Ze ging met Woelf.

Het was nog een heel gedoe om Woelf op te halen, merkte ze 's morgens. Eerst moest ze op de fiets naar de boerderij, dan Woelf meenemen naar huis, hem

aan een paaltje in de buurt vastzetten en de fiets terug-
zetten in de schuur van Huize Boegbeeld, en dan helemaal naar de tramhalte lopen.

Op het plein waar de halte was mocht ze haar fiets
niet laten staan van Roel. Er hingen groepjes jongens
rond die zich verveelden en voor de lol de fietsen in elkaar trapten, of het wiel eruit haalden.

'Zul je goed op me passen, Woelf?' vroeg ze toen ze
bij het plein kwamen.

'Grr,' zei Woelf. Dat betekende: ja, ik zie wel dat er
gevaar dreigt.

De jongens van het plein verveelden zich in het
weekend het meest. Ze hadden rotjes afgestoken, zag
Yoe Lan. Het hele plein was rood. Nu waren ze het
tramhokje aan het vernielen, maar dat viel nog niet
mee. De tramhokjes konden er goed tegen. Misschien
waren ze eraan gewend geraakt.

'Grrr,' zei Woelf nog iets harder toen ze vlak bij de
halte waren. De jongens keken op. Zonder iets te zeggen hielden ze op met trappen en beuken en slenter-
den weg, de handen in de zakken van hun leren jacks
en hun hoofd in de bontkraag gedoken.

De tram kwam net aanrijden. Yoe Lan stempelde
af voor haarzelf en voor Woelf. Woelf moest betalen,
want anders kreeg hij een boete en hij had geen geld
bij zich. Yoe Lan was blij dat Woelf nog geen twaalf
was, zoals Peter, want dan moest hij ook een legitima-
tie bij zich hebben, een paspoort met zijn foto erop.
Woelf had geen paspoort.

Yoe Lan schaamde zich een beetje. Ze had tegen
Peter gezegd dat ze met Woelf op stap ging. De huis-

vader dacht dat ze bij een meisje uit haar klas ging spelen. Ze had niet gelogen, maar aan allebei een halve waarheid verteld. Ik kan er niks aan doen, dacht ze. Mei heeft problemen.

Onderweg keek ze haar ogen uit. Ze was wel eens vaker met de tram geweest, toen ze met school naar Artis gingen bijvoorbeeld. Maar nu was ze alleen. Helemaal alleen zelfs, want alle passagiers liepen door als ze Woelf zagen en gingen zo ver mogelijk uit de buurt zitten. 'Alsof je je haar niet hebt gekamd,' fluisterde ze tegen Woelf. 'En ik heb je gister nog helemaal geborsteld.'

Woelf kwispelde. Hij vond het fijn als Yoe Lan hem borstelde, daarna kriebelde zijn vacht niet meer zo.

Ze stapte uit bij de halte die Meis moeder haar gezegd had en keek op haar briefje. *Bij een grote winkel met waaiers en Chinese maskers schuin het plein over.*

Yoe Lan stak schuin het grote plein over. *De tweede straat inlopen, die met een Chinees naambordje.* Yoe Lan liep de Zeedijk op. Het was het eerste Chinese restaurant aan de rechterkant. Eerst liep Yoe Lan nog het verkeerde restaurant binnen, dat was een Thai. Daarna lette ze beter op. Daar was het, Woo Ping!

De deur stond open. Binnen was een jongen de vloer aan het dweilen. Hij hurkte met zijn rug naar hen toe en hij zag Yoe Lan en Woelf niet, maar dat vond ze niet erg. Nu kon ze rustig even rondkijken. Aan de muren hingen oude prenten van een visser, een berglandschap en een boompje. Ze waren met een bamboe-pen getekend, dat had ze op de Chinese school geleerd.

Er hingen rode lampjes aan het plafond. Tussen de eetzaal en de bar waar de glazen stonden was een afscheiding van vergulde latten. Voor het gangetje met het bordje *Toiletten* stond een kamerscherm met vuurspuwende draken erop.

'Mooi hè?' zei Yoe Lan zachtjes tegen Woelf.

De jongen draaide zich half om. Toen hij Woelf zag sprong hij overeind. 'Er mogen hier geen honden naar binnen,' zei hij.

'O,' zei Yoe Lan. Ze trok Woelf mee naar de drempel.

'Alleen op een bord, met rijst ernaast,' zei de jongen. Hij lachte, maar hij keek niet vriendelijk. Zijn haar was mooi blauwzwart, net als dat van Mei, maar hij had pukkels en grote tanden.

Yoe Lan ging buiten staan, met Woelf achter zich.

'Als hij in de pan gaat,' zei de jongen, 'dan neem ik hem wel mee. Er mogen geen vreemden in de keuken.' Hij lachte er niet meer bij en Yoe Lan wist niet of hij een grapje maakte.

'Ik kom voor Mei,' zei ze zachtjes.

'Zeg dat dan meteen.' De jongen draaide zich om en liep de trap af naar de keuken. Daar werd hard gewerkt. Yoe Lan hoorde gerinkel en gepraat en ze rook gebraden vlees, en knoflook, en de vissige lucht van trassi. Bij tante Wiewie, waar ze vroeger woonde, rook het net zo.

Mei kwam tevoorschijn. Ze veegde haar rode handen af aan haar schort. Ze lachte toen ze Yoe Lan in de deuropening zag staan, maar ook zij zag er niet echt vrolijk uit. 'Ik was aan het afwassen,' zei ze. 'Ik ben te

34

jong om te helpen met koken. Kom.'

'Ik mag niet met Woelf naar binnen van die jongen,' zei Yoe Lan.

'O, dat is Djien,' zei Mei. 'Mijn broer. Soms doet hij vervelend. Niks van aantrekken.'

'Mag ik in de keuken kijken?' vroeg Yoe Lan. 'Het ruikt zo lekker.'

Mei schudde haar hoofd.

'Maar dan laat ik Woelf buiten.'

'Er mogen geen vreemden in de keuken,' zei Mei kortaf. Ze ging Yoe Lan en Woelf vóor door het gangetje waar de wc's waren. In de zijmuur van de gang hing een gordijn en daarachter was een deur die op de trap naar boven uitkwam.

'Wij gaan naar zolder,' zei Mei op de eerste overloop. 'Mijn ouders slapen nog. Het is gisteravond heel laat geworden.'

Ze slopen de tweede trap op, en toen nog een houten trap. Mei duwde tegen het luik, dat zacht piepend openging. Er hing een gewicht aan, zag Yoe Lan toen ze op de zolder was. Daardoor bleef het openstaan als je er tegen duwde.

Mei deed het luik weer dicht. Er kwam licht uit een raampje in het midden van het dak. Het was een grote zolder, met een wand halverwege waarin een opening was met een gordijn ervoor.

'Daarachter slaapt Djien,' zei Mei. 'Als hij er is mag ik hier niet spelen. Maar nu blijft hij de hele dag beneden om te werken.'

'Ik zou graag een grote broer willen hebben,' zei Yoe Lan. 'Maar Djien lijkt me niet zo aardig.'

35

Mei zuchtte. Yoe Lan zag dat haar vriendin zich nog steeds niet prettig voelde. Ze was bleek en ze had kringen onder haar ogen, alsof ze slecht geslapen had. Zou Mei ook 's avonds laat moeten werken? Yoe Lan durfde het niet te vragen.

'Djien is niet echt vervelend,' zei Mei. 'Hij heeft zorgen.'

Ze pakte een kleedje voor Woelf. 'Ga hier maar liggen,' zei ze.

Woelf kwispelde.

'Woelf, lig!' zei Yoe Lan. Woelf ging op het kleedje zitten, draaide zich een paar keer om, stond op, draaide het kleedje een paar keer om en ging toen liggen.

'Zullen we met de poppen spelen?' vroeg Mei.

Yoe Lan knikte. Op een fluwelen kussen zaten drie poppen in Chinese klederdracht. Yoe Lan wist niet uit welke streek. Dat hadden ze nog niet geleerd. China was ook zo groot. De poppen hadden een soort blauwe kimono's aan met wijde mouwen, en ze hadden een ingewikkeld kapsel. Ze hadden witte gezichtjes en ronde mondjes. Het waren geen knuffelpoppen, dacht Yoe Lan. En je kon hun haar ook niet kammen, want dan kreeg je het nooit meer goed.

'We spelen restaurantje!' zei Mei. Ze keek al heel wat vrolijker. 'Kijk, dit waren de tafeltjes en deze pop was de gast. En deze was de kokkin en deze het dienstertje.'

'Wat is een dienstertje?' vroeg Yoe Lan.

'Die brengt het eten rond,' zei Mei. 'En ze praat met de gasten, en ze schenkt de thee in, en ze geeft ze warme doekjes om hun handen schoon te maken na het eten.'

'Doe jij dat ook?' vroeg Yoe Lan.

'Ik mag het niet,' zei Mei. 'Ik ben te jong om te werken. Als de politie komt krijgen we een boete. Maar later is het restaurant van mij, en dan doe ik wat ik wil.'

'En Djien?' vroeg Yoe Lan.

'Djien zegt dat hij het restaurant haat,' zei Mei.

'O,' zei Yoe Lan. Ze pakte haar pop en liet haar aan een tafeltje zitten. 'Dienstertje!' riep ze. 'Mag ik een rijsttafel?'

Het dienstertje kwam aangetrippeld op haar muiltjes. 'Het spijt me, dame,' zei ze en maakte een buiging, 'wij serveren geen rijsttafel. Dit is een Chinees restaurant, geen Indonesisch.'

'O,' zei de dame beteuterd. Ze stond op. 'Dan ga ik maar naar de buren.'

'We hebben heerlijke soep van echte haaienvinnen,' zei het dienstertje. 'En van vogelnestjes. En verrukkelijke pekingeend.'

'Brengt u dat dan maar,' zei de dame. Ze at alles helemaal op en toen gaapte ze.

Restaurantje spelen was ook wel een beetje saai, dacht Yoe Lan. De poppen moesten maar gaan slapen, dan kon zij met Mei op de zolder rondneuzen. Dat was pas spannend. Mei leek haar zorgen een beetje te zijn vergeten, nu zij er was. 'Heeft u ook een hotel?' vroeg ze aan het dienstertje.

'O,' zei Mei beteuterd. 'Ik heb geen poppenledikantje.'

Yoe Lan keek om zich heen. 'Er is vast wel ergens een doos of zo,' zei ze. 'En dan doen we er lapjes in, of kleedjes, en dan maken we een hotel.' Ze sprong op.

Mei stond ook op. 'Maar niks breken, hoor,' zei ze angstig.

Ze keken in kastjes en achter nog meer gordijnen. Ze vonden afgedankte servetten, met vlekken erop en scheuren erin, en borden waar stukjes af waren, en messen en vorken die er een beetje dof en oud uitzagen. Mei wou meteen weer restaurantje gaan spelen toen ze die vond, maar Yoe Lan bleef rondkijken.

Ten slotte schoven ze het gordijn van Djiens kamer opzij en gluurden naar binnen. Het kamertje had maar een klein raam, en het was er donkerder dan op de rest van de zolder. Er stond een bed met smeedijzeren spijlen, waar zich takken met bloemen tussendoor slingerden die ook van metaal waren. Onder het bed lagen koffers. Er was één stoel, waar kleren over hingen, en een gammel tafeltje met een computer erop. Omdat er geen rechte muren waren waar je een kast kon neerzetten, waren er in de nok van het dak aan dikke touwen boekenplanken opgehangen, die helemaal afgeladen vol waren met boeken.

'Djien studeert,' zei Mei trots. 'Aan de universiteit. Kunstgeschiedenis.'

Opeens hoorden ze gestommel op zolder, en toen een luide bons.

'Wat was dat?' vroeg Yoe Lan geschrokken.

Ze draaiden zich om. Woelf zat rechtop op zijn kleedje, al zijn haren stonden overeind. Hij gromde en jankte, maar kwam niet van zijn plaats.

'Braaf, Woelf,' zei Yoe Lan. Ze liep naar de hond toe.

Er schoot iets voorbij.

Yoe Lan maakte een sprongetje, struikelde over Woelf en viel languit op het luik. Ze keek angstig om zich heen.

Mei hielp haar overeind. 'Het is Mauw,' zei ze.

'Mauw?'

'De kat. Djien heeft haar Mauwzedong genoemd. Mauw moet de muizen vangen. In een restaurant heb je altijd muizen.'

Ze liepen terug naar Djiens kamertje en gingen naar binnen. Er lag geen vloerkleed op de planken en de wanden waren niet behangen. Het was een kaal en leeg kamertje.

'We kunnen een koffer als poppenbed gebruiken,' zei Yoe Lan aarzelend.

'Nee,' zei Mei geschrokken. 'Als Djien dat merkt...!'

Yoe Lan tilde een kartonnen map op die tegen de schuine wand stond. De map was erg zwaar. Ze liet hem bijna uit haar handen vallen en zette hem gauw weer terug. 'Wat is dit?'

'Daar zitten schetsen van Djien in,' zei Mei. 'Voor zijn studie. Maar wat staat erachter? Ik zag iets.'

Ze schoven samen de map opzij. Onder de schuine balken, in het halfdonker, stond een volmaakt hotelbed voor Chinese poppen. Het was een langwerpig ruwhouten kistje, en het had precies de juiste maat voor de slaperige dame in het restaurant.

Mei trok het kistje naar zich toe en pakte het op.

39

'Het is zwaar,' zei ze teleurgesteld. 'Er zit iets in.' Toch droeg ze het naar hun plekje bij het luik, waar Woelf braaf op zijn kleedje lag, en waar de dame en het dienstertje nog steeds in gesprek waren over de hotelkamer. De kokkin was zeker moe geworden van het koken en lag midden in de keuken plat op haar rug.

'We hebben een mooie kamer voor u gereserveerd,' zei het dienstertje tevreden tegen de dame. 'In ons hotel, dat de naam draagt...' Mei keek naar de grote zwarte letters op het kistje. *Rijksmuseum*, stond er op het deksel. *Technische dienst.*

'Daar heeft Djien stage gelopen,' zei ze trots. 'Voor zijn studie. Maar het was maar voor even. Toen ging zijn afdeling dicht. Want het museum wordt verbouwd, zegt Djien.' Ze maakte het deksel open. Er lagen witte bolletjes piepschuim in de kist.

'We hebben een heerlijk donsbed voor u,' zei het bleke dienstertje met het ronde poppenmondje tegen de dame in het restaurant. 'In hotel Het Rijksmuseum, op de etage Technische Dienst. Tachtig euro per nacht.'

'Heel graag,' zei de slaperige dame. 'Ik ga meteen proberen of het bed...' Ze maakte haar zin niet af. Want Mei had de schuimbolletjes opzij geschoven en daar, in hotel Het Rijksmuseum, in het donsbed van tachtig euro per nacht, lag al iemand. Het was een beeldje van donker aardewerk, en het lag met de ogen dicht en de handen gevouwen vredig te slapen.

'O!' riep Yoe Lan opgetogen. 'Wat mooi!'

Maar Mei barstte in tranen uit. 'Hij zei dat hij het niet zou doen!' snikte ze. 'Hij had het beloofd!'

Yoe Lan sloeg haar arm om Mei heen. 'Stil maar,' zei ze, 'stil maar. Niet huilen, Mei, niet huilen.'

Ze keek naar het beeldje. Ze zag nu pas dat het een meisje was. Ze droeg een kimono, waar restjes rode verf op zaten, en ze had de handen niet in elkaar gevouwen. In haar handjes droeg ze iets, een potje of een schaaltje. Een dienstertje! dacht Yoe Lan opgewonden. Een echt dienstertje! Maar waarom moest Mei zo huilen?

'Wat heeft hij beloofd, Mei?' vroeg ze zachtjes. 'Over wie heb je het?'

'Djien,' zei Mei snuffend. 'Hij kon niet anders. Anders was het afgelopen met ons allemaal.'

Yoe Lan schrok. Ze hield Mei nog steviger vast, maar nu was het ook om zichzelf gerust te stellen.

Mei haalde haar neus op en wreef in haar ogen. Ze bedekte het dienstertje van aardewerk met de bolletjes en deed het deksel dicht. 'Djien heeft het gestolen,' zei ze. 'Uit het Rijksmuseum.'

In de dagen die volgden moest Yoe Lan steeds aan haar vriendin denken. Ze had Mei beloofd tegen niemand iets te zeggen over het gestolen beeldje. Ze hadden nog maar net tijd gehad de kist met het dienstertje terug te zetten in Djiens kamer, toen Meis moeder boven was gekomen met kommen soep en boterhammen. Daarna moest Yoe Lan naar huis.

Op donderdagmiddag hadden ze Chinese les. Na afloop trok Mei Yoe Lan mee naar een stil plekje op het plein voor de school. 'Mijn vader komt me zo halen,' zei ze. 'Ik zal je iets vertellen, maar je mag het tegen niemand zeggen.'

Dat beloofde Yoe Lan.

'Ik heb met Djien gepraat,' zei Mei. 'Ze hebben mijn broer bedreigd. Als hij dat beeldje niet zou stelen zouden ze ons restaurant kort en klein slaan.'

'Wie...?' begon Yoe Lan.

Er werd getoeterd. Mei rende weg.

Er kwamen drukke dagen. Yoe Lan moest een surprise maken voor school en voor de pakjesavond in Huize Boegbeeld. Ze moest twee cadeautjes kopen en een gedicht schrijven. Moerad hielp haar met het gedicht, want dat kon ze zelf niet zo goed.

Ze kreeg schaatsen van Sinterklaas, en daar was ze blij mee, maar toch zag ze de hele avond het bange gezicht van Mei voor zich.

Op 6 december hadden ze vrij van school. Yoe Lan ging Woelf uitlaten. Ze had hem echt een beetje verwaarloosd. Daarom fietste ze langs de slager en vroeg om een extra groot bot.

'Het is voor Sinterklaas zeker?' vroeg de slager. 'Dat kan ik je niet weigeren, meisje. Want Sinterklaas is ook een Turk, net als ik.'

De jongen achter het hakblok grinnikte.

'Of dacht je dat hij uit Spanje kwam?' vroeg de slager. 'Laat je niks wijsmaken hoor. Sint-Nicolaas is bisschop van Myra, en dat ligt in Turkije. Of niet soms, Osman?'

Osman knikte. 'Maak je ook een surprise voor je hond?' vroeg hij. 'Dat moest ik op school altijd.'

'Een surprise maken voor je hond?' vroeg de slager.

'Voor een klasgenoot,' zei Osman. 'Ik had er zo'n hekel aan. Op een keer heb ik een armband voor zo'n meisje om een stuk lamsbout gedaan.'

Yoe Lan rilde.

'Ja,' zei Osman. 'Een rauwe bout natuurlijk. Het stond wel mooi. En toen hoefde ik nooit meer een surprise te maken.'

De slager gaf Yoe Lan het bot en een stuk vlees. 'Met de groeten van de bisschop van Myra,' zei hij. 'En laat Osman maar kletsen.'

Yoe Lan liep haastig de winkel uit.

Woelf keek helemaal niet naar het bot om. Hij trok Yoe Lan met zijn tanden mee naar het overdekte hok waar hij 's nachts op een bedje van stro sliep.

43

'Wat wil je toch, Woelf?' vroeg Yoe Lan. 'Wou je gaan slapen, midden op de dag? Nou, ik niet hoor, ik ben al wakker.'

Maar Woelf bleef janken en haar meetrekken, en ten slotte ging ze op haar hurken voor het nachthok zitten en tuurde naar binnen. Er lag daar iets op het stro. Yoe Lan stak haar hand door de opening en pakte het. Het was een pakje in sinterklaaspapier.

'O, Woelf!' zei ze. 'Je hebt een cadeau gekregen!' Ze draaide het om en om. 'Er zit geen gedicht bij,' zei ze.

Woelf kon het niet schelen. Hij kwispelde en maakte vrolijke geluidjes. Yoe Lan maakte het papier los. Het was een halsband, rood met zilveren noppen, die precies paste bij de riem die Yoe Lan voor Woelf gekocht had.

'Goeiemorgen!' zei een vrolijke stem. De boer stond bij het hondenhok. 'Wat heb je daar, meisje? Een sinterklaascadeautje?'

'Het is voor Woelf!' zei Yoe Lan.

'O, ik dacht voor jou,' zei de boer met een onnozel gezicht. 'Dat ik je mee uit wandelen kon nemen.'

Yoe Lan lachte. 'Dank u wel!' zei ze. 'Namens Woelf.'

'Je moet Sinterklaas bedanken,' zei de boer. Grinnikend liep hij weg.

Toen ze een heel eind met Woelf gelopen had was hij hongerig op zijn soepvlees aangevallen. Nu knaagde hij aan het grote bot. Yoe Lan was op een paaltje naast het hok gaan zitten om te piekeren.

'Je bent dan misschien al een echte speurhond,' zei

44

ze tegen Woelf, 'maar nu heb ik niks aan je.'

Woelf liet zijn staart hangen.

'Ik wou dat ik er met Peter en Moerad over kon praten,' zei Yoe Lan. 'Maar dat mag niet. Ik heb het Mei beloofd.' Ze fronste haar voorhoofd. Haar hersens kraakten.

'Ik heb het!' zei ze.

Woelf legde zijn voorpoot op het bot.

'Ik kom heus niet aan jouw eten, Woelf,' zei Yoe Lan. 'Het bot is voor jou. Maar je hebt me toch goed helpen denken. Ik heb een plan.'

Woelf haalde zijn neus op. Yoe Lan mocht haar plannen houden. Een plan, daar kon je niet eens lekker je tanden in zetten.

Moerad had gelijk gekregen: het was gaan vriezen, en hard ook. Vlak na Sinterklaas was er een dun vliesje op de sloten gekomen, en dat was elke dag dikker en steviger geworden.

En nu was het ijs sterk genoeg. Het was vrijdagmorgen, en de meeste pupillen van het Boegbeeld waren voor de kerstdagen naar huis of naar hun gastgezin of familie vertrokken. Peter, Moerad, Josie en Yoe Lan zaten aan het ontbijt.

Moerad belegde zijn boterham met een laag pepernoten die over waren van Sinterklaas. Hij deed er jam op en plakte daar een dikke laag hagelslag op vast. 'Smakelijk eten,' zei hij en hapte toe.

'Je bederft mijn eetlust,' klaagde Josie. 'Waarom moet jij altijd van die onappetijtelijke boterhammen maken?'

'Het is geen boterham, het is een gebakje,' zei Moerad. 'Ik ben jarig vandaag.'

'Niet waar,' zei Josie ongelovig.

'Wel waar,' zei Moerad. 'Zou ik zelf niet weten wanneer het mijn verjaardag is?'

'Ik zie geen slingers,' zei Josie.

Moerad keek een beetje beledigd. 'Ik ben geen klein kind toch? Ik hoef niet op een stoel te gaan staan om jarig te zijn.'

Yoe Lan stond op en omhelsde Moerad. 'Gefeliciteerd, stiekeme jarige,' zei ze. 'Maar nu heb ik geen cadeautje voor je.'

'Dat is zijn eigen schuld,' zei Josie. 'Maar toch gefeliciteerd.'

Moerad haalde een brief en een pakje tevoorschijn en legde die op tafel. 'Ik hoef ook geen cadeau meer,' zei hij stralend. 'Want ik weet wat hierin zit.' Het was een klein dik pakje met Nederlandse postzegels erop. Op de brief zaten Canadese zegels.

'Dus je bent echt jarig!' zei Peter. 'Gefeliciteerd, Moerad.'

Het cadeautje zat goed verpakt in papier met plastic bolletjes. Josie griste het van tafel en begon ze allemaal kapot te drukken. Knap. Knap. Knap. 'Net van die klapbessen,' zei ze. 'Waarom is dat toch zo leuk om te doen?'

Yoe Lan dacht aan de witte plastic bolletjes in de kist van het gestolen beeldje. Ze had die middag met Mei afgesproken, en ze hoopte dat ze Peter en Moerad mee zou kunnen krijgen. Misschien zou Mei hun zelf vertellen wat er aan de hand was. Het probleem van Mei was te groot voor Yoe Lan alleen.

'Zullen we naar de stad gaan, Moerad?' zei ze. 'Dan kun je zelf een cadeautje uitzoeken.'

'Ik hoef geen cadeautje van je,' zei Moerad. 'Ik maak straks een foto van je met mijn nieuwe mobieltje en die hang ik boven mijn bed, dat is voor mij cadeau genoeg.' Hij knipoogde naar Yoe Lan.

'Maak ook eens een foto van mij!' riep Josie.

'Eerst kijken hoe het allemaal werkt,' bromde Moerad.

'Zullen we naar de stad gaan,' stelde Yoe Lan voor. 'Dan kunnen we daar foto's maken.'

'Waarom wil jij ons toch steeds naar de stad hebben?' vroeg Peter.

'Kijk!' riep Moerad. 'Het is heel grappig. Ik zit zogenaamd gewoon te bellen, of te sms'en, en intussen maak ik stiekem een foto. Niemand die het ziet. Ari, die bij mij op de kamer slaapt, heeft het me uitgelegd. Die heeft altijd van alles het allernieuwste model.'

'Geen wonder als je vader een of andere sultan is,' zei Josie. 'Dan heb je altijd het laatste model kameel.'

'Hè, hè,' zei Peter.

Maar Moerad kwam niet meer bij. 'Het laatste model kameel!' schaterde hij. 'Met de nieuwste snufjes!' Hij haalde zijn neus op. 'Snufjes! Het enige snufje van een kameel is wat-ie met zijn neus doet!'

'Alle gekheid op een stokje,' zei Peter. 'Wat gaan we vandaag doen?'

'Ik mag het zeggen,' zei Moerad. 'Ik ben jarig. Gaan we vandaag schaatsen, jongens?'

'Ja!' riepen Josie en Peter.

'Maar...' begon Yoe Lan.

Niemand luisterde naar haar. Josie en Peter en Moerad praatten door elkaar. Josie had schaatsen gekregen voor Sinterklaas, net als Yoe Lan, maar Peter en Moerad niet.

'We gaan naar Roeland!' riep Moerad. 'Die zei dat hij nog oude schaatsen had liggen in de schuur!'

Ze renden van tafel.

Peter klopte op de deur van het kantoortje. Ze

wachtten niet op antwoord maar stormden naar binnen.

'Wat...' zei Roel. Maar hij kreeg geen kans zijn zin af te maken.

'We gaan schaatsen,' zei Moerad, 'ik ben jarig, maar we hebben geen schaatsen.'

Roel hief zijn handen op. 'Rustig,' zei hij. 'Als ik één ding geleerd heb in mijn lange leven...'

Josie zuchtte. De huisvader ging op zijn praatstoel zitten. Dan kon zij beter ook niet blijven staan, dat ging wel even duren. Ze schoof een stapel paperassen opzij en ging op een punt van de divan zitten.

Roel keek naar Josie en grinnikte. 'Als ik één ding geleerd heb, dan is het dat je zonder schaatsen niet kunt gaan schaatsen.' Toen liep hij naar Moerad toe en schudde hem de hand. 'Gefeliciteerd jongen, ik was het bijna vergeten. Heb je het pakje van je vader ontvangen?'

Moerad knikte stralend.

'Op naar de schuur!' zei Roel. Ze wachtten tot hij zijn sloffen had uitgetrokken en schoenen aan had gedaan. Toen liepen ze ongeduldig achter hem aan naar buiten.

In de schuur stond een hoge stellingkast vol dozen, waar netjes met viltstift op was geschreven wat erin zat. Roel pakte een trapje. De doos met schaatsen stond op de bovenste plank.

'Nu we hier toch zijn,' zei Roel, 'kunnen we de kerstversiering ook vast tevoorschijn halen.'

'Nee!' riepen ze.

'Nu ik zoveel hulp heb...' mompelde Roel nog.

49

Maar blijkbaar vergat hij zijn eigen plan meteen weer. Hij pakte alleen de doos met schaatsen. Hij zette hem op de werktafel en haalde het deksel eraf. 'Allemaal netjes ingevet,' zei hij trots. 'Willen jullie Friese doorlopers of hoge noren?'

'Hoge wat?' vroeg Moerad.

'Wacht even,' zei de huisvader. 'Hier heb ik nog hockeyschaatsen ook. Friese doorlopers zijn voor lange afstanden, maar ze zijn niet zo handig op onze slootjes. En hoge noren, dat moet je kunnen.' Hij gaf Peter en Moerad allebei een paar hockeyschaatsen. 'Hierop kun je makkelijk wenden en keren,' zei hij. 'Doe je best.'

Toen ze terugliepen naar de eetkamer dacht Yoe Lan weer aan Mei. Maar de jongens gingen niet met haar mee naar haar vriendin. Ze gingen schaatsen. Yoe Lan ging moedeloos achter haar lege bord zitten.

'Yoe Lan!' zei Moerad. 'We moeten gauw de tafel afruimen. Dan kunnen we meteen gaan schaatsen!'

Yoe Lan keek hem beteuterd aan. 'Maar dat kan ik niet!' zei ze.

'Kun je niet eens afruimen?' zei Josie hatelijk. 'Dan doe ik het wel hoor.' Ze begon met veel lawaai de borden op te stapelen.

'Natuurlijk kun je wel schaatsen, Yoel,' zei Peter. 'IJsbrand heeft het je toch geleerd? En ons ook.'

Ze waren een paar keer samen naar de ijsbaan geweest en meester IJsbrand had ze allemaal een paar lessen gegeven. Yoe Lan was een natuurtalent, ze kon het al bijna net zo goed als Peter en Josie. En een stuk beter dan Moerad, die dit jaar voor het eerst op schaatsen stond.

'Ik heb met Mei afgesproken,' zei Yoe Lan.

'Met mij?' vroeg Moerad verbaasd. 'Met jou? Waar heb je het over, Yoe Lan?'

'Met Mei Fong,' zei Yoe Lan, 'uit mijn klas. Van de Chinese school. Dus ik kan niet gaan schaatsen.'

'Je zit toch op onze school?' zei Moerad verbaasd. 'O, je bedoelt die school waar je donderdags na vieren naartoe gaat. Wat doe je daar eigenlijk?'

'Ik leer karakters,' zei Yoe Lan.

'Chinees schrift?' zei Peter. 'Dat lijkt me hartstikke moeilijk.'

'En Chinese cultuur,' zei Yoe Lan. 'En geschiedenis.'

'Waar woont Mei?' vroeg Peter.

'Op de Zeedijk,' zei Yoe Lan, 'daar is het restaurant van haar ouders.'

'Dat is ver,' zei Moerad. 'Helemaal in het centrum. En het is koud. Ga je dat hele eind op de fiets?'

'Nee,' zei Yoe Lan. 'Met de tram.'

'Alleen?' vroeg Peter. 'Vindt de huisvader dat goed?'

'Niet alleen,' zei Yoe Lan. 'Met Woelf. En Roel hoeft zich geen zorgen om mij te maken.'

'En doet hij dat ook niet?'

'Niet als hij niet weet dat ik alleen naar de stad ga. En dat vertel ik hem niet, want ik ga niet alleen.'

Moerad schudde zijn hoofd.

'Maar je blijft natuurlijk de hele middag bij Mei, en het wordt heel vroeg donker,' zei Peter bezorgd. 'Als je Woelf daarna naar de boerderij hebt gebracht moet je in je eentje terugfietsen.'

Daar had Yoe Lan niet aan gedacht.

'Wacht even,' zei Peter. Hij liep vlug de eetkamer uit. Ze hoorden hem naar boven rennen. Even later kwam hij terug met een plattegrond van de stad. Hij spreidde de kaart uit over een lege eettafel en begon met zijn vinger een route uit te stippelen.

'Het kan!' zei hij na een tijdje tevreden. 'Yoe Lan, als jij met de tram naar Mei gaat, neem dan je schaatsen mee! Wij gaan op schaatsen naar de stad, langs deze kade hier en dan over de grachten. En dan komen we je halen!'

'Ja!' riep Moerad. 'We gaan op Elfstedentocht!'

'Elfgrachtentocht,' zei Josie.

Yoe Lan keek Peter met open mond aan. Nu zou het precies zo gaan als zij bedacht had. De anderen zouden ook naar Mei toe gaan en ze zou ze het beeldje kunnen laten zien. Als Mei het goedvond.

'Komen jullie dan ook binnen?' vroeg ze.

'Als het mag,' zei Peter. 'Dan kunnen we even uitrusten en warm worden.'

'Wij hoeven alleen warm te worden,' zei Moerad. 'Maar Josie moet ook nog uitrusten.'

Josie stak haar tong naar hem uit.

'Pas maar op dat je dat straks niet doet,' zei Moerad. 'Je tong uitsteken. Dan vriest hij eraf. Hoewel, dat lijkt me wel weer een voordeel, Josie zonder scherpe tong.'

'Maar hoe komt Woelf dan terug?' vroeg Peter bezorgd.

'Over het ijs,' zei Yoe Lan. 'Ik heb hem toch leren schaatsen.'

Josie lachte.

'Nou, dat zien we dan later wel,' zei Peter. 'Laten we opschieten. Dik aankleden, krant mee, en geld voor koek en zopie.'

'Waarom gaan we de krant lezen?' vroeg Moerad. 'En wat is zopie?'

'De krant stop je onder je trui, die houdt de wind tegen,' zei Peter. 'Beter dan een jas. En wat zopie is merk je vanzelf wel.'

Ze renden naar boven om zich warm aan te kleden.

Het was behoorlijk koud. Peter, Josie en Moerad hadden een uur geschaatst, langs de kades die de buitenwijken doorkruisten, en voorbij de ringweg over de lange Amstelkanalen, die het westen van de stad verbonden met het centrum.

In het begin had Moerad aan één stuk door foto's gemaakt. Dan schaatste hij een stukje vooruit, draaide zich om en drukte af. Maar na een tijdje werden zijn handen zo koud dat hij bang was dat hij het apparaat zou laten vallen.

Het water onder de bruggen was ook bevroren, en ze hoefden maar een paar keer van het ijs te stappen. Klunen, noemde Peter dat. Dan deden ze hun schaatsbeschermers om en klauterden tegen de wal op, staken over en gingen aan de andere kant van de brug het ijs weer op.

'Ik ben helemaal bevroren vanbinnen,' zei Moerad klappertandend, toen ze net gekluund hadden. 'Als je even stilstaat merk je pas hoe koud je bent.'

'Als de nood het hoogst is, is de redding nabij,' zei Peter opgewekt.

'Bah,' zei Josie, 'je lijkt Roel wel, met zijn eeuwige spreekwoorden.' Ze raapte wat sneeuw op van de wal en gooide het naar Peter.

'Roel is toch een beetje mijn vader,' zei Peter, 'dus

de appel valt niet ver van de boom!' Hij dook om de flinke sneeuwbal te ontwijken die Josie naar hem gooide.

'W-waar zie jij de redding,' klappertandde Moerad.

Peter wees naar voren, waar op de kade een stalletje stond. Er dromde een dichte kluwen schaatsers omheen. 'Koek en zopie,' zei hij. 'Wie er het laatst is, betaalt.'

Ze sprintten weg. Peter was als eerste bij het tentje met warme chocolademelk en koek. Daarna kwam Josie. Ze vergat te remmen en vloog regelrecht tegen een groepje pauzerende schaatsers op.

'Hé!' riep een lange jongen. Zijn bekertje was op het ijs gevallen en de chocolademelk droop van zijn witte ski-jas. Hij veegde het er met zijn zakdoek af, maar het hielp niet veel.

Josie schrok. 'Je krijgt een nieuwe,' zei ze. Ze wees op Moerad, die hijgend aan kwam rijden. 'De verliezer betaalt.'

'Een nieuw jack?' vroeg de jongen. Maar hij lachte erbij. 'Het was al bijna op gelukkig. Maar ik heb spijt dat ik geen anijsmelk heb genomen. Die is tenminste wit.' Toen schaatste hij weg.

Moerad ging in de rij staan. 'Het is niet eerlijk,' klaagde hij. 'Josie kon natuurlijk al zwemmen en schaatsen voordat ze kon lopen. Dat krijg je als je op een boot geboren bent. Maar ik had nog nooit geschaatst!'

'Je doet het geweldig!' vond Peter. 'Ik wil ook wel trakteren, hoor.'

Maar dat was Moerads eer te na, en even later zaten ze alle drie op hun krant te genieten van warme chocolademelk met slagroom, en Friese kruidkoek.

'Hoe kan dat,' vroeg Moerad, 'dat we helemaal over het water naar het centrum kunnen?'

'Over het ijs,' verbeterde Josie hem. Ze hield haar kartonnen beker met twee handen vast om warme vingers te krijgen. De koek had ze op haar knie gelegd.

'Rivieren heten ook wel waterwegen,' zei Peter. 'Vroeger werd alles met schepen vervoerd. Met de trekschuit, of een zeilschip, of een roeiboot. Dat ging veel vlugger dan met een kar over die hobbelige straatjes en steegjes, of met een wagen over zandwegen. De kolenboer bracht de steenkool over het water, en de vuilnisman kwam met zijn schuit langs, en de mensen voeren zelf ook als ze ver weg moesten. Je kunt het hele land door over het water.'

'Helemaal naar de Middellandse Zee,' zei Josie, die het weten kon.

'Maar kunnen we ook bij Woo Ping komen over het ijs?' vroeg Moerad.

'Ik hoop het,' zei Peter. Hij blies op zijn stijve vingers en pakte de kaart van onder zijn trui. 'Kijk, het restaurant is in deze straat, maar de achterkant van de huizen ligt aan het water, aan dit grachtje hier.'

'O, dan schaatsen we zo het restaurant binnen!' zei Moerad. 'Dat is leuk!'

Peter vouwde de kaart op. 'We zijn er nog niet,' zei hij. 'Kom op, nou wordt het echt fijn schaatsen, we gaan over de grachten.'

Op de grachten vergaten ze de kou, zoveel was er te

zien. De grachtenhuizen zagen er vanaf het water heel anders uit dan wanneer je er vlak langs liep over de smalle stoepjes. Ze konden zomaar in de woonboten naar binnen kijken. En soms stonden er op een brug mensen te zwaaien.

Moerad dacht aan de ramadan vroeger thuis, toen zijn moeder nog leefde. Ze aten een maand lang overdag niets en 's avonds gingen ze op bezoek bij familie, en iedereen was vrolijk en in feeststemming. Toen was het heel heet geweest, en zeker niet zo vreselijk koud als nu, en alles was anders dan hier. En toch was er iets hetzelfde, dacht hij verwonderd. Het leek net of de mensen meer bij elkaar hoorden als het vroor en er ijs lag. Hij lachte hardop om zijn eigen rare gedachten.

'Je moet je lippen op elkaar houden,' zei Josie tegen hem. 'Anders bevriest jouw tong ook, al steek je hem niet uit.'

'Pas op of ik zeep je in met sneeuw,' zei Moerad.

Nu stak Josie haar tong uit. 'Moet je me eerst inhalen,' en ze ging ervandoor.

Moerad probeerde het niet eens. Zijn enkels en voetzolen deden pijn, en de spieren van zijn benen stuurden nog maar één boodschap naar zijn hersens: Stop! Stop nu!

Peter deed zijn das af en gaf hem aan Moerad. 'Hou het uiteinde maar vast,' zei hij. Zelf wikkelde hij het andere uiteinde om zijn hand en nam Moerad op sleeptouw. Het hielp echt. Moerad moest nog wel schaatsen, maar hij hoefde veel minder kracht te zetten.

Josie kwam na een tijdje bij de twee jongens rijden

en ze pakte ook een stuk van Peters das, die erg lang en dun werd. Zo trokken ze Moerad, tot hij weer een beetje uitgerust was. Ze vormden een lange sliert waar de andere schaatsers voor opzij moesten.

'Jongens, we zijn er,' zei Peter toen ze onder een laag bruggetje door waren gegleden en op een smal grachtje kwamen. 'Als we het niet kunnen vinden aan de achterkant, moet een van ons de schaatsen afdoen en in de straat gaan kijken waar het restaurant is.'

'Nou, dat is vast niet moeilijk,' zei Moerad. Hij hield zijn neus in de lucht. 'Ik ruik... mensenvlees!' riep hij als de reus in Klein Duimpje.

'Bami!' schreeuwde Josie.

Ze reden naar een kleine houten steiger. Daar kwamen al die heerlijke geuren vandaan. Ze probeerden door het raam van de achterdeur naar binnen te gluren, maar het glas was beslagen. De etensgeuren kwamen door een rooster dat in de muur was aangebracht.

'Wacht eens,' zei Moerad. Hij wees naar een steiger verderop. Ze schaatsten ernaartoe. Hier was ook een rooster, en een beslagen keukenraam. Een eindje verderop was er nog één. En de geuren die ze opsnoven waren ongeveer hetzelfde.

'Het kan wel een Japans restaurant zijn,' zei Peter teleurgesteld. 'Of Thais. Of Vietnamees. Dat ruikt allemaal zo. Een van ons zal om moeten lopen naar de straat aan de voorkant.'

'Ik ga wel even klunen,' bood Josie aan. 'Ik ben zo terug.' Ze schaatste weg.

Peter en Moerad gingen op de middelste steiger zitten, waar het volgens Moerad toch het meeste naar Chinees rook. 'Wat krijg je een trek van schaatsen,' zei Moerad. 'Straks begin ik mijn wanten op te eten. Die stof ziet er echt smakelijk uit.'

Als snel zagen ze Josie terugkomen. Ze zette, met haar schaatsen nog aan, merkwaardige pasjes op het ijs.

'Ze telt haar voetstappen,' zei Peter. 'Slimme meid.'

'Het is hier,' zei Josie toen ze bij hun steigertje was. 'Hoe wisten jullie dat?'

Moerad wees trots op zijn neus.

'Weet je wat zo raar is,' zei Josie. 'Daar bij de hoek wilde ik van het ijs gaan, maar toen moest ik een trapje op. Dus aan de voorkant van de huizen is de straat veel hoger dan aan de achterkant.'

'Daarom heet het de Zeedijk,' zei Peter. 'Vroeger kwam de zee tot hier. Dus die straat is eigenlijk een dijk.'

Ze trokken hun schaatsen uit en hingen ze met de veters om hun nek, in plaats van hun schoenen. Die trokken ze weer aan.

Ze klopten op het beslagen raam. Binnen hoorden ze allerlei geluiden, maar er kwam niemand. Peter deed de deurklink naar beneden en duwde de deur open. Josie en Moerad keken over zijn schouder. 'Goedemiddag!' zeiden ze in koor.

Het was een grote, moderne keuken, met een reusachtig vierkant fornuis onder een glimmende verchroomde afzuigkap in het midden, huizenhoge koelkasten en een aanrecht langs de hele achtermuur, met drie dubbele gootstenen en spoelkranen.

De keuken was vol mannen in witte schorten die stonden te snijden, te roeren en af te wassen. Dat wil zeggen, dat hadden ze gedaan voordat de deur openging. Ze hielden ermee op zodra ze de kinderen zagen, legden precies tegelijk hun mes, lepel of afwaskwast neer, draaiden zich om en renden naar het andere eind van de keuken, waar ze allemaal in rook opgingen.

Allemaal op één koksjongen na, die even bleef staan en een woedende blik op de indringers wierp. Toen verdween hij ook.

Er was alleen een klein Chinees dametje overgebleven. Ze glimlachte vriendelijk naar het onverwachte bezoek, draaide een kraan dicht en zette een kookplaat uit. Toen droogde ze haar handen aan haar schort, kwam op hen af en schudde ze alle drie de hand. 'Kom verder,' zei ze met een moeizame r. 'Jullie komen zeker voor Mei?'

Moerad schudde zijn hoofd, hij dacht alweer dat ze 'voor mij' zei, maar Peter knikte. 'Het spijt me heel erg,' zei hij. 'We zijn op schaatsen...'

De vrouw knikte. Het was moeilijk om de gevaartes die om hun hals bungelden over het hoofd te zien.

'Yoe Lan en mijn dochter zijn op zolder,' zei de moeder van Mei. Ze ging hen voor, een trapje op. 'Kijk, hier is de eetzaal,' zei ze trots. Ze keken rond in de prachtig ingerichte ruimte. Mevrouw Fong wees naar het gangetje. 'Daar is de trap naar boven. Mei zal thee brengen, ik moet weer aan het werk.'

60

Ze liepen de trap op. Het was misschien toch niet zo'n goed idee geweest om zomaar binnen te vallen, dacht Peter. Ze konden het beste maar Yoe Lan ophalen en meteen weer weggaan.

'Zullen wij hier wachten?' vroeg Josie op de overloop. Peter keek rond. Ze waren in het privé-gedeelte van het huis, dat was duidelijk. Ieder ogenblik kon er iemand, een tante, een zus, een vader, uit een van de deuren komen, die schrok ook vast van hen, en dan begon misschien weer iedereen weg te rennen. Bovendien moest het personeel uit de keuken ook ergens hier in huis zijn. Ze waren in elk geval niet naar de eetzaal gevlucht.

'Loop maar mee naar boven,' zei Peter zo zacht mogelijk. Hij liep de trap op en klopte luid en duidelijk op het zolderluik, om Mei en Yoe Lan te waarschuwen dat ze eraan kwamen. Hij duwde het luik omhoog en kreeg meteen iets nats in zijn gezicht.

'Af, Woelf,' zei hij en duwde de kop opzij. Mei en Yoe Lan zaten op de houten zoldervloer tussen een verzameling Chinese poppen met witte strakke gezichtjes. De meisjes hadden niet fijn gespeeld, dacht Peter. Mei zag eruit alsof ze gehuild had en Yoe Lan keek ook niet vrolijk. Ze leken zelf wel op treurige poppen. De hond was zo te zien de enige die blij was met het bezoek.

Mei was opgestaan toen ze Peters hoofd zag verschijnen. Toen de andere twee ook op zolder stonden glimlachte ze naar ze, zonder iets te zeggen.

'Mei! De thee is klaar!' Er werd beneden geroepen. Mei ging de trap af.

'We krijgen thee,' zei Josie bibberend. 'Ik kan wel iets warms gebruiken.'

Moerad wreef over zijn maag, die knisperde. Hij haalde de krant onder zijn trui vandaan. 'Ik zou wel wat te eten lusten,' zei hij. 'Waarom hebben we geen brood meegenomen?'

'Jij wilt altijd eten,' zei Josie.

Peter keek naar Yoe Lan, die al die tijd niets gezegd had. 'Is er iets, Yoel?' vroeg hij bezorgd. 'Jullie kijken zo triest.'

Woelf gromde diep in zijn keel.

'Zelfs Woelf is uit zijn humeur,' zei Moerad.

'Hij ruikt Mauwzedong,' zei Yoe Lan. 'De kat.' Meer zei ze niet.

Het luik ging open en Mei zette een blad neer. Toen zei ze iets in het Chinees. Een mannenstem antwoordde. Er kwam nog een blad tevoorschijn, en toen nog één. Daarna stapte Mei de zolder op, klapte het luik dicht en ging op haar hurken zitten.

'Wauw!' zei Moerad. Op de zwart gelakte dienbladen stonden kommetjes en schaaltjes vol eten. Een heerlijke geur verspreidde zich over de zolder. Ergens achter een kastje hoorden ze miauwen.

'O!' zei Yoe Lan. 'Mauw is bang voor Woelf. En ze heeft honger.'

'Mauw mag niks hebben,' zei Mei. 'Dan vangt ze geen muizen meer. Ze mag ook niet in het restaurant komen, want dan gaat iedereen haar voeren.'

Mei deelde borden uit en stokjes om mee te eten. 'Loempia,' zei ze, 'foeyonghai, gadogado, rijst en thee. Pak zelf maar.'

Iedereen schepte van alles wat op, behalve Moerad.

'Ik dacht dat je zo'n honger had?' zei Peter.

Moerad gaf geen antwoord. Hij maakte snel een foto van Josie die een enorme hap van haar eten nam.

'Vind je Chinees eten niet lekker?' vroeg Mei teleurgesteld. 'Ma heeft juist Indische dingen voor jullie opgeschept. Wat jullie hier Chinees eten noemen.'

'Ik weet niet of ik het mag,' zei Moerad. 'Ik neem wel wat witte rijst.'

'Maar het is zonder vlees!' zei Mei. 'Yoe Lan eet toch vegetarisch.'

Toen viel Moerad ook aan. Hij schepte een bord vol en begon alles zo snel hij kon met de stokjes naar binnen te schuiven.

'Zal ik een schep halen?' vroeg Josie.

Moerad had het te druk om antwoord te geven.

'Zal ik hem ook iets geven?' vroeg Mei. Ze wees naar Woelf die zijn bakje water leegslobberde. Zelf at ze niet. Ze keek glimlachend toe hoe de anderen nog een keer opschepten, maar haar ogen stonden verdrietig.

Yoe Lan schudde haar hoofd. 'Dan leert hij bedelen. Dat staat in het hondenboek dat ik van mijn juf heb geleend. Hij krijgt maar één keer per dag eten.'

'Awobbe wanne wabe,' zei Moerad met zijn mond vol.

'En botten van de slager,' vertaalde Josie. 'En lekkere hapjes die Yoe Lan voor hem uit de keuken steelt.'

'Ik steel niet!' zei Yoe Lan.

Plotseling barstte Mei in tranen uit. En toen ze eenmaal begonnen was met huilen kon ze niet meer stoppen. Het leek wel of ze verdriet van jaren had opgespaard.

Yoe Lan sloeg een arm om haar heen en Woelf drukte zijn neus tegen haar knie. Josie wist niet wat ze doen moest en begon de lege borden en kommetjes op de bladen te zetten.

'Wat is er hier toch aan de hand, Yoe Lan?' vroeg Peter toen het snikken wat minder werd.

Yoe Lan stond op. 'Mag ik het laten zien, Mei?' vroeg ze. Toen haar vriendin knikte, stond ze op en liep naar het kamertje van Djien. Ze kwam terug met de kist. Ze haalde het deksel eraf en schoof de witte bolletjes piepschuim opzij. 'Kijk,' zei ze, 'een dienstertje.'

Yoe Lan had misschien wel gelijk, zag Peter. Het beeldje kon best een bediende voorstellen. Het meisje droeg een lang hemd met een pofbroek eronder en een soort muiltjes. Ze had een grote neus waar een stukje vanaf was gebroken. In haar handen hield ze een potje of kommetje of misschien de afgebroken steel van een lepel.

Yoe Lan tilde het voorzichtig uit de kist en zette het rechtop. 'Ik dacht dat ze sliep,' zei ze, 'maar ze is wakker.'

Ja, dacht Peter. Ze is duidelijk wakker. Het dienstertje stond stevig op een soort voetstukje, haar voetjes recht naast elkaar zoals haar meesteres haar geleerd had, en ze keek alsof ze zeggen wou: hier ben ik, is er anders nog iets van uw dienst?

Peter pakte het beeld op en draaide het om. Aan de achterkant was het haar in een knotje gedraaid, of een wrong, Peter wist het verschil niet precies. Hij zag dat het meisje grote oren had. Zou dat iets betekenen? Bijvoorbeeld dat personeel altijd alles hoorde wat er in huis besproken werd? Of waren het gewoon grote oren? Hij keek onder het voetstuk. Het beeldje was hol. Zou er iets in gesmokkeld zijn? Hij schudde het dienstertje heen en weer. Ze rammelde niet. Aan de onderkant stonden Chinese karakters getekend. En er was een stukje van de rand afgebroken.

'Hoe kom je hieraan?' vroeg hij.

Mei was opgehouden met huilen. Ze deed haar mond open en toen weer dicht, alsof ze niet wist of ze moest praten of zwijgen.

'Je kunt mijn vrienden vertrouwen,' zei Yoe Lan. 'Echt waar. En we zullen je helpen.'

Mei vertelde heel in het kort waar het beeldje vandaan kwam.

Peter, Moerad en Josie luisterden zwijgend.

Yoe Lan pakte het beeldje aan van Peter en legde het voorzichtig terug in het kistje. Ze aaide met een vinger over de vlekkerige wang. 'Ik noem je Ay Wang,'

65

zei ze, 'want als je geen naam hebt kun je niet slapen.'

Mei had weer een beetje kleur op haar wangen gekregen en ze was rechtop gaan zitten, met haar benen onder zich gevouwen. 'Jullie kunnen ons niet helpen,' zei ze. 'Niemand kan ons helpen.'

Woelf kwispelde en legde een poot op haar knie, alsof hij wou zeggen dat hij toch erg zijn best zou doen. Mei aaide hem over zijn kop.

Iets aaien helpt, dacht Yoe Lan. Als het maar warm en levend is en een vacht heeft.

'Niemand kan ons helpen,' zei Mei nog eens. 'En het is verboden erover te praten.'

'Wie bedoel je met "ons", Mei?' vroeg Josie. 'Bedoel je je familie?'

Mei knikte.

'Wonen jullie allang hier?' vroeg Moerad. 'Of ben je in China geboren? Ik ben in Marokko geboren.'

'Onze familie woont hier al een eeuw,' zei Mei. 'Mijn betovergrootvader kwam uit Kanton. Hij was stoker op een schip, maar er was geen werk meer.'

Josie knikte. 'De schepen gebruikten geen steenkool meer als brandstof,' zei ze.

'Hoe weet je dat?' vroeg Mei. 'Niemand hier weet iets over stokers.'

'Ik weet van alles over schepen,' zei Josie. 'Mijn ouders hebben een baggerbedrijf.'

Door over haar familie te praten leek Mei haar angst een beetje te vergeten. 'Ja, en het kwam ook door een oorlog,' zei ze. 'Dat er geen werk meer was. Mijn overoudoom ging pinda's verkopen op straat, maar mijn overgrootvader ging in de haven werken.

66

En later had hij een klein eethuisje. Toen mijn grootvader het eethuisje had geërfd kwamen al die Nederlanders terug uit Indonesië, omdat Indonesië geen kolonie van Nederland meer was. Dat heeft mijn broer me verteld. En die mensen wilden allemaal rijst en zo eten. En nu heeft mijn vader een groot restaurant.'

'Met heerlijk eten!' zei Moerad.

Mei glimlachte. Maar toen werd ze weer ernstig. 'Ja, het eten is goed,' zei ze. 'Maar veel werk. Ze moeten er de hele dag voor in de keuken staan en alles moet stoven en sudderen.'

'Daarom ruikt het zo lekker!' zei Moerad. Hij likte zijn lippen af.

'Hé,' zei Peter opeens. 'Toen wij in de keuken kwamen rende al het personeel de deur uit! Waarom was dat, Mei?'

'Kwamen jullie in de keuken?' zei Yoe Lan. 'Er mogen geen vreemden in de keuken, hè Mei?'

Mei zuchtte. 'Nu zijn er allemaal wokrestaurants,' zei ze. 'Je gooit het vlees en de groente in een pan en klaar. Dat is veel minder werk. In een wokrestaurant kun je meer verdienen. Alle gediplomeerde keukenmensen gaan daar werken. Op een gegeven moment had vader haast geen personeel meer.'

Peter knikte. 'Dat heb ik op tv gezien. In een heleboel restaurants werken mensen die uit een ander land komen.'

'Uit China,' zei Mei. 'Ze komen uit China.'

'En ze hebben geen vergunning,' zei Peter. 'Ze mogen hier niet werken. Dus als de politie komt rennen ze weg.'

'Of als er drie mafkezen op schaatsen binnen komen klossen,' zei Moerad.

'Ik had mijn schaatsen uitgetrokken,' zei Josie beledigd. 'En ik ben geen mafkees.'

'Is dat jullie probleem, Mei?' vroeg Moerad. 'Het personeel? Moet je daarom huilen?'

'Natuurlijk niet,' zei Josie. Ze wees naar de kist van het Rijksmuseum.

Ze keken allemaal naar Ay Wang die nu lekker lag uit te rusten.

'Haar broer Djien is het probleem,' zei Yoe Lan.

Maar Mei schudde heel hard haar hoofd. 'Djien probeert alleen maar te helpen,' zei ze. 'Jullie kunnen niks doen. En het is gevaarlijk om erover te praten. Ze hebben wapens. Ze weten alles.'

Het was zinloos om door te vragen. Mei had haar lippen stijf op elkaar geklemd. Ze bedekte Ay Wang met bolletjes piepschuim en deed het kistje dicht. 'Alsjeblieft,' zei ze smekend, 'nemen jullie het beeldje mee en verstop het ergens.'

Peter aarzelde.

'Als de politie het vindt nemen ze Djien mee,' zei Mei. 'Ze hebben onze neef ook opgepakt en het land uit gezet. Maar hij kon er niks aan doen.'

'Ik zou toch wel iets meer willen weten,' zei Peter, 'voordat ik met gestolen spullen ga slepen.'

'Later zal ik alles vertellen,' zei Mei. 'Ik breng Djien en mijn ouders in gevaar als ik nu iets zeg. Jullie kunnen door de eetzaal naar buiten. Morgen kom ik bij Yoe Lan spelen, als ik mag. Mijn vader zal me brengen en halen.'

Peter pakte het kistje op. Het was ruim een halve meter lang. Hij sloeg zijn jas erover, maar dat hielp niet erg.

'Ik loop met jullie mee,' zei Mei. 'Als jullie weg zijn breng ik de bladen naar de keuken. En heel erg bedankt.'

Ze slopen de trap af. Overal in het huis rook het naar eten. Uit de keuken kwam het geluid van rammelende pannen en een heleboel stemmen. Er kwam niemand tevoorschijn. Ze liepen door het gangetje langs de wc's.

'O, ik moet heel nodig,' zei Josie.

'Dat kan niet,' fluisterde Moerad zenuwachtig.

'Ga maar,' zei Peter. 'Wij lopen de hoek om, en wachten op je bij de kade.'

Ze liepen door de eetzaal. De voordeur stond open. Naast het stoepje zat er een groot metalen luik in het trottoir.

'Waar is dat luik voor?' vroeg Peter.

'Dat komt in de keuken uit,' zei Mei. 'Daar worden de boodschappen uitgeladen. Zakken rijst en zo.'

En daardoor verdwijnen de koks en keukenhulpen naar buiten als er onverwacht bezoek komt, dacht Peter.

Het had een beetje gesneeuwd. Ze glibberden het korte stukje naar de hoek van de straat. Daar draaiden ze zich om om te zwaaien.

Mei zwaaide met een bleek en ernstig gezicht terug.

Die avond zaten ze met zijn vieren achter Peters computer. Ze bekeken de foto's die Moerad gemaakt had van Yoe Lan op schaatsen. Er was een foto op een gracht voor een zeventiende-eeuws huis, op het Amstelkanaal voor een stadsvilla, en op de kade vlak bij huis.

'Kijk, hier ga ik heel hard,' zei Yoe Lan trots.

'Weet je zeker dat jij dat bent?' vroeg Josie plagend. De foto was bewogen, en het was moeilijk te zien wie of wat daar zo hard ging.

Moerad en Yoe Lan waren vlak voor het eten doodmoe maar apetrots thuisgekomen. Ze hadden bijna de hele terugweg geschaatst. Alleen het laatste eindje waren ze met de tram gegaan.

Kokkie had van tevoren tjauwmin gemaakt, die ze alleen maar op hoefden te warmen. Moerad en Yoe Lan kregen wat mie met groenten en een gekookt ei. 'Ik krijg mijn hele familie en schoonfamilie op eerste kerstdag te eten,' had Kokkie tegen Peter gezegd. 'De Hindoestanen krijgen barra's en de creolen willen moksimeti en de Chinezen eten de rest van de tjauwmin. Ik kan niet ook nog eens apart vegetarisch en halal gaan koken voor jullie. Trouwens, het is vakantie. Jullie moeten eigenlijk voor jezelf zorgen.'

'Dat is waar,' zei Peter. 'Mag ik dan een extra portie

kroepoek voor Moerad en Yoe Lan? Dan zal ik die helemaal zelf opdienen.'

Kokkie had Peter de keuken uit gejaagd. Maar ze had ook nog vier stukken spekkoek voor ze klaargezet.

'Lekker, Surinaamse tjauwmin,' zei Peter. 'Grappig is dat, overal in de wereld eten ze Chinees, en overal is het anders.'

'Heeft Woelf beloofd dat hij goed op Ay Wang zou passen?' vroeg Yoe Lan.

'Hij is meteen voor zijn nachthok gaan liggen,' zei Peter. 'Alsof hij begreep waar het om ging.'

'Natuurlijk begrijpt hij dat,' zei Yoe Lan.

Toen ze met de kist uit Woo Ping waren gekomen hadden ze op de kade, uit het zicht van de steiger van het restaurant, overlegd.

'We kunnen dat beeld niet meenemen op de schaats,' had Peter gezegd. 'Het is te zwaar.'

'En het is vast heel breekbaar,' zei Moerad. 'Het is gebakken klei, denk ik. Keramiek. Ik heb wel eens zo'n beeldje gemaakt bij pottenbakken, op school. Dat is gebroken toen ik het mee naar huis nam.'

'Dat is jammer,' zei Yoe Lan. 'Want je maakt altijd van die mooie dingen, zoals die vaas in de huiskamer.'

Moerad lachte naar haar.

'Jij kunt wel een potje bij hem breken,' zei Peter.

'Dat zou ik nooit doen!' zei Yoe Lan.

'Dat betekent dat hij je wel mag,' zei Peter.

'Zullen we de taalles overslaan?' zei Josie. 'We kunnen beter allemaal met de tram gaan.'

71

Ze hadden de kist van Ay Wang zolang op de kade gelegd, met Peters jas er half overheen. Ze zouden erg opvallen in de tram met zo'n kist waar Rijksmuseum op stond.

'Ik wil terugschaatsen,' zei Yoe Lan. 'Ik heb nog nooit een echte tocht gemaakt, en ik wil het aan IJsbrand vertellen.'

'Dan maak ik foto's van je,' zei Moerad. 'Als bewijs.'

'Goed,' zei Peter. 'Maar waar brengen we Ay Wang naartoe? Roel ziet ons al aankomen met gestolen kunst uit het Rijksmuseum.'

'Ik weet wat,' zei Yoe Lan. 'In het nachthok van Woelf. Dan kun jij erop passen, hè Woelf?'

'Maakt hij het niet stuk?' vroeg Moerad.

Yoe Lan en Woelf keken hem verwijtend aan.

'Oké, oké,' zei Moerad met zijn handen omhoog. 'Het was maar een vraag.'

'Ik ga met jou mee, Peter,' zei Josie. 'Om te helpen dragen. En dan lenen we Woelf van Yoe Lan om op te passen.'

'Je kunt hem niet lenen,' zei Yoe Lan.

'Maar hij moet op Ay Wang passen,' zei Josie.

'Je kunt Woelf niet lenen, hij is geen *ding*,' zei Yoe Lan. 'Maar je kunt wel vragen of hij met jullie mee wil.'

Woelf kwispelde. Hij was niet zo dol op ijs als zijn baasje. Wel om te eten, maar niet om over te lopen.

'Gaan jullie maar gauw,' zei Peter. 'En duw Yoe Lan een eindje als ze moe wordt, Moerad.'

'Nou,' grinnikte Moerad, 'dat wordt eerder het omgekeerde. Yoe Lan schaatst beter dan ik. En ik heb al een flinke rit gemaakt.'

Peter gaf Moerad de kaart en wees hem waar hij van het ijs kon gaan om de tram te nemen. Moerad en Yoe Lan reden weg.

'Op het plein bij de Waag is een supermarkt,' zei Peter. 'Wil jij even vuilniszakken en plakband gaan kopen, Josie? Dan doen we de kist daarin.'

Ze reisden zonder problemen met Ay Wang naar de eindhalte van de tram. Peter haalde hun fietsen. Ze reden naar de boerderij en lieten Ay Wang bij Woelf achter, onder het stro in zijn nachthok.

En nu zaten ze achter de computer om meer over het beeld te weten te komen. Ze brandden alle vier van nieuwsgierigheid.

'Waarom bellen we niet gewoon naar het museum morgen?' vroeg Moerad.

Peter zette het internet aan. 'Te riskant,' zei hij. 'Misschien is de politie al gewaarschuwd, of hebben ze nummerherkenning, weet ik veel. Dan staan ze opeens op de stoep en dan moeten we Djien verraden.'

'Maar wat wil je dan precies uitzoeken?' vroeg Josie.

Yoe Lan sliep al bijna. Ze had rode wangen gekregen van de koude wind. Haar ogen vielen telkens dicht. Maar ze wilde niets missen.

'Ik weet niet waar ik naar zoek,' zei Peter. 'Maar als je blijft zoeken vind je altijd wel iets.'

Hij opende de website van het Rijksmuseum en ging naar het kopje Aziatische Kunst. Want dat Ay Wang een Chinese was, daar was geen twijfel over mogelijk. Bij Aziatische Kunst stonden boeddha's, afbeeldingen van goden en grafbeelden.

'Goden?' zei Moerad.

'Ja hoor,' spotte Josie. 'Een goddelijk dienstertje. De godin van de horeca misschien?'

'Grafbeelden,' zei Peter. 'Dat zou heel goed kunnen. Kijk, op het voorbeeld hier staan dieren en voorwerpen die mee werden gegeven in het graf. Maar een dienstertje, dat is ook handig.'

'Arme Ay Wang,' zei Yoe Lan. 'Eeuwen en eeuwen heeft ze in een graf gelegen.'

'Wees blij dat ze van aardewerk is,' zei Josie. 'Heel vroeger gaven ze levende mensen en dieren mee in het graf.'

'Ja, bij de mummies,' zei Moerad. 'Dat heb ik in een museum gezien.'

'Ik kom niet verder hier bij de site van het museum,' zei Peter. 'Wat nu?'

'Tik "grafbeeld" in op een zoekmachine,' zei Josie. 'Of "dienstertje".'

'Kijk!' zei Peter. De trefwoorden leverden een hele lijst verwijzingen op. Ze zaten met gloeiende wangen achter de computer en sisten hun aanwijzingen in Peters oor. En nu ging het heel snel.

'Goed,' zei Peter ten slotte. 'Wie gaat er thee halen beneden? Want als Roel ons straks roept wil hij dat we gezellig bij hem komen zitten en een spelletje doen. Dan kunnen we zeggen dat we de thee al op hebben.'

'Ik wil wel thee halen,' zei Josie, 'maar jullie mogen niks tegen elkaar zeggen als ik weg ben.'

74

'Ik ga mijn vader bellen om te bedanken voor het cadeau,' zei Moerad. 'Ik moet even kijken of het nu overdag is in Canada.' Voor zijn vorige verjaardag had Moerad een fiets gekregen van zijn vader, en het jaar daarvoor een horloge waarop je kon zien wat voor tijd het ergens anders op de wereld was. Want Moerads vader hield er niet van om om drie uur 's ochtends gebeld te worden. Zelfs niet door zijn lievelingszoon, die trouwens enig kind was.

Yoe Lan was opzij gezakt en sliep.

Toen Peter alle informatie had opgeschreven, Josie terug was met de thee en Moerad zijn vader had gebeld, maakten ze Yoe Lan wakker.

Ze wreef haar ogen uit. 'Wat een nare droom,' zei ze. 'Ik ben blij dat jullie me gewekt hebben. Er waren mannen die Woelf met een stok sloegen en Ay Wang meenamen.'

'Help,' zei Josie. 'Blij dat ik niet bijgelovig ben en niet in voorspellende dromen geloof.'

'Ik weet wat,' zei Moerad. 'Mijn vader heeft Roel geld gestuurd voor mijn verjaardagsfeest. Ik mag vrienden uitnodigen. Zullen we morgen bij Woo Ping gaan eten met z'n vieren?'

'O ja!' zei Yoe Lan, die meteen helemaal wakker was. 'We kunnen echt Chinees bestellen, en Mei kan ons uitleggen wat we eten.'

'Wacht,' zei Peter. 'Eerst op een rijtje zetten wat we gevonden hebben. Het Rijksmuseum wordt verbouwd, en de Azië-afdeling is ontruimd. Een deel van die collectie staat nu in een museum in Apeldoorn. Bij de website van dat museum hebben we niets over Ay Wang kunnen vinden.'

'Misschien is Ay Wang niet naar Apeldoorn verhuisd,' zei Josie, 'maar opgeslagen in een magazijn of zoiets. En dan mist niemand haar een, twee, drie, als ze gestolen is.'

Peter knikte. 'We hebben ook gevonden dat sommige van die beeldjes wel tweeduizend jaar oud zijn, en uit de Han-dynastie komen.' Hij keek naar Yoe Lan. 'Toen waren er koningen, of keizers, van de familie Han, denk ik.'

Yoe Lan knikte. 'Dat heb ik op de Chinese school geleerd,' zei ze. 'Bij geschiedenis.'

'Hier heb ik een printje,' zei Peter, 'van de site van een antiquair die zo'n beeldje te koop aanbiedt.'

En inderdaad, het beeldje leek erg op Ay Wang. Het was kleiner, dertig centimeter stond erbij, en veel grover geboetseerd. Maar *het dienaresje*, zoals het genoemd werd, hield de handen precies zo om een kommetje gevouwen als Ay Wang, ze droeg net zo'n kimono en ze had dezelfde ogen en ook een afgebrokkelde neus.

'Dat is een oude website,' zei Moerad. 'De prijs van het beeldje is nog in guldens.'

'De website is natuurlijk ook antiek,' zei Josie. 'Het is een antiquair.'

'Niet duur voor zo'n oud beeldje,' zei Peter. 'Tweeduizend gulden.'

'Het is dus wel zeker dat Ay Wang ook een grafbeeld is,' zei Yoe Lan. 'Arme Ay Wang.'

'Ja,' zei Peter, 'en toen Josie en Moerad even weg waren heb ik een artikel over grafkunst ontdekt, dat is geschreven door Jan Kamperland. Hij is conservator Aziatische Kunst van het museum.'

'Wat is een conservator?' vroeg Yoe Lan.

'Dat is de baas van die afdeling,' zei Peter. 'Hij weet er alles van. En nu hebben we bijna genoeg informatie.' Hij draaide zich om en ging achter zijn pc zitten. 'De digitale telefoongids,' zei hij. 'Ik denk dat het veilig is om die meneer thuis op te bellen. Hij heeft misschien nummerherkenning, maar het nummer van Moerads mobieltje is nog zo nieuw, dat staat vast nog nergens geregistreerd.'

'En dan?' vroeg Moerad.

'Dan weten we of het inderdaad een grafbeeldje uit het museum is. En of het vermist wordt.'

Moerad gaf Peter zijn mobieltje. 'Ik heb hem op luidspreker gezet,' zei hij, 'dan kunnen we meeluisteren.'

Peter toetste het nummer in. Er werd meteen opgenomen.

'Kamperland.'

'Joop Jansen hier,' zei Peter met een zo zwaar mogelijke stem. 'Het spijt me dat ik u thuis stoor. Wij hebben een beeldje gevonden van een dienaresje, uit de Han-periode, en het zit in een doos van het Rijksmuseum.'

'O,' zei Jan Kamperland. Het klonk verbaasd, en ook een beetje achterdochtig.

'Het beeld is een halve meter hoog,' zei Peter. 'U moet het wel gemist hebben.'

'Ik ben net terug uit China,' zei Kamperland. 'Maar ik heb regelmatig contact met mijn afdeling. Mij is niets bekend van een verdwenen beeld.'

'Het is ongeveer een halve meter hoog,' zei Peter. 'Ze heeft een knotje en ze houdt een pannetje of zoiets in haar handen. Er is een stukje van haar neus af.'

'Ik weet welk beeld u bedoelt,' zei Kamperland aarzelend. 'Maar dat beeldje is niet hier.'

'Dat zeg ik net,' zei Peter, 'wij hebben het gevonden.'

'Ik bedoel dat de collectie niet in huis is.'

'Nee, die is in Apeldoorn,' zei Peter. 'Maar dat dienaresje is hier.'

'Kan ik u terugbellen?' vroeg de conservator.

'Ik neem weer contact met u op,' zei Peter, en hij verbrak de verbinding voor de man lastige vragen kon gaan stellen.

'Er werd niets vermist,' zei hij. 'Maar dat gaat hij nu natuurlijk controleren.'

'Hoe kan het dat het niet vermist wordt?' vroeg Josie.

'Misschien hebben ze het geheim gehouden,' zei Peter. 'Om andere dieven niet op een idee te brengen. Want het is natuurlijk gestolen tijdens de verhuizing. Toen alles verplaatst is vanwege de verbouwing van het museum.'

'Ja, maar dan had de conservator toch geweten dat het weg was,' zei Moerad.

'Misschien liegt hij tegen ons,' zei Yoe Lan. 'Misschien weet hij het wel, maar doet hij alsof.'

'Er is een andere mogelijkheid,' zei Peter. 'Als iemand die in het museum werkt bij de lijsten kan komen... Er zijn toch papieren waarop staat wat er precies naar Apeldoorn is gegaan en wat niet.'

'Djien, Meis broer, liep stage bij het museum,' zei Yoe Lan.

'Dat is het!' zei Peter. 'Hij heeft Ay Wang geschrapt van de verzendlijst. Dus in Apeldoorn verwachtten ze haar niet, en in het Rijksmuseum dachten ze dat ze in Apeldoorn was.'

'Maar die Kamperland is toch wel gaan kijken of alles er mooi bij stond in Apeldoorn,' zei Josie.

'Nee, want hij was in China,' zei Peter. 'Dus niemand heeft het beeldje gemist.'

'Ik geloof dat we Djien in de problemen hebben gebracht in plaats van hem te helpen,' zei Josie. 'Mei was bang dat de politie het beeldje zou vinden, maar de politie wist van niks!'

'Mei heeft ons zelf gevraagd om Ay Wang mee te nemen,' zei Yoe Lan.

'Nu Kamperland terug is was de diefstal toch heel gauw ontdekt,' zei Peter. 'En dan hadden ze het beeldje wel bij Djien gevonden. Bij zo'n diefstal gaan ze vast iedereen na die in het museum heeft gewerkt.'

'Tenzij Djien het beeldje juist vandaag of morgen weg ging brengen,' zei Josie. 'Naar een heler of zo, iemand die gestolen spullen opkoopt.'

'Ja,' zei Peter. 'Dat kan. Maar we weten het niet. We gaan allemaal tanden poetsen en pyjama's aantrekken en Razende Roel welterusten zeggen voor hij echt razend wordt. En dan bel ik die conservator nog een keer, voor hij tijd heeft de politie in te schakelen en onze telefoon af te luisteren en dat soort dingen.'

Ze hadden zich nog nooit zo snel omgekleed. En het tandenpoetsen duurde ook wat minder lang dan de vier minuten die ze er van Roel over moesten doen. In een oogwenk zaten ze alle vier weer bij Peter op de kamer.

Zwijgend gaf Moerad zijn telefoon aan Peter. Zwijgend toetste Peter het nummer in. En zwijgend keken Josie en Yoe Lan toe, met gespitste oren.

'Kamperland.'

'Joop Jansen hier,' zei Peter.

Er klonk een luid gekraak door de telefoon, en Peter hield het apparaatje wat verder van zijn oor.

'Ik ben niet gediend van dit soort geintjes,' zei een woedende stem. 'Ik heb een lange reis achter de rug, en ik zou nu graag wat gaan slapen in plaats van lastiggevallen te worden over beeldjes die gestolen zijn en gewoon op hun plaats staan.'

'D-dat kan niet,' stamelde Peter.

'Vanmiddag tijdens de rondleiding stond het er nog, dus tenzij het vanavond weggehaald is...'

'Nee,' zei Peter.

'Nou dan,' zei Kamperland driftig, 'ik weet niet wat u aan het doen bent, maar iedereen kan dat beeldje gaan bekijken en mij vertellen dat het vijfenvijftig centimeter hoog is en hoe het eruitziet.'

'Mijnheer Kamperland,' zei Peter rustig, 'de onderkant van het voetstukje kun je niet zien als het beeldje in de vitrine staat.'

'Nou en?' snauwde de conservator. 'Ik heb mijn collega in Apeldoorn gebeld, en zij is niet blind.'

'Onder op het voetstukje,' zei Peter, 'staan Chinese karakters gekrast. Er is een stukje van de hoek afgebroken en dat kun je van bovenaf niet zien. We kunnen u ook een foto sturen van het beeldje, met de krant van vandaag ernaast.'

'Iedereen kan met foto's knoeien tegenwoordig,' zei Jan Kamperland knorrig. Maar zijn stem klonk iets minder zeker.

81

'Meneer,' zei Peter. 'Het is voor ons ook een raadsel. Misschien hebben wij een kopie gevonden. Neem ons niet kwalijk.' Hij verbrak de verbinding.

'Ik begrijp er helemaal niks van,' zei Josie. 'Denk je dat onze Ay Wang een vervalsing is, Peter? Een kopie?'

'Maar wat doet die kopie dan in een doos van het Rijksmuseum?' vroeg Peter. 'Dat slaat toch nergens op?'

'Er is nog een andere mogelijkheid,' zei Moerad langzaam. 'Dat beeldje in Apeldoorn...'

'...is een vervalsing!' zeiden ze alle vier tegelijk.

Peter schoof het raam omhoog en keek naar de lucht. Het was een heldere vriesnacht, en hij kon heel duidelijk de Grote Beer zien en het Steelpannetje. De andere sterren schenen ook helder, maar hij kende hun namen niet. Aardrijkskunde was zijn lievelingsvak, niet hemelrijkskunde. Op een mooie nacht als deze was dat trouwens wel jammer.

Peter gaapte en deed het gordijn dicht. Hij liet het raam open, zoals zijn moeder hem geleerd had. 'Frisse lucht is goed voor de teint,' zei ze altijd. Ze had inderdaad een zacht en glad perzikhuidje. Dat was een van de redenen dat ze nog steeds een veelgevraagd model was.

Peter was niet zo geïnteresseerd in zijn teint als zijn moeder. Als hij mocht kiezen had hij liever een moeder met een grove lelijke huid met veel putjes en pukkels. Dan had ze een ander beroep moeten kiezen, en dan was Peter gewoon bij haar blijven wonen en had hij thuis kerst kunnen vieren.

Hij stapte zuchtend in bed. Hij was moe, maar door alle gebeurtenissen van die dag was hij te opgewonden om te kunnen slapen. Urenlang draaide hij zich van de ene zij op de andere.

Yoe Lan lag ook wakker. Ze lag te woelen en te draaien en dacht aan haar vader. Hij belde altijd op als hij Amsterdam aandeed met zijn schip. Hij vond het leuk als ze hem opwachtte.

Yoe Lan liep in gedachten over de kade waar de cruiseschepen aanlegden. Soms dagdroomde ze dat ze op de fiets naar het Noordzeekanaal reed en dan helemaal met haar vaders schip meefietste tot de haven. Dat had ze nog nooit durven doen, maar nu ze Woelf had, en ook vrienden had gemaakt in het tehuis, zou dat best een keertje kunnen.

Voorlopig hield ze het bij haar oude vertrouwde droombeeld. Zij liep over de kade, en haar vader was al klaar met uitchecken bij de personeelsbalie van de passagiersterminal. Hij nam altijd maar één koffer mee van boord, met spullen voor in het hotel, en een cadeautje voor zijn dochter.

De kade was lang en recht en leeg, en Yoe Lan zou de bekende gestalte van haar vader al van heel ver zien aankomen. Hij was nogal klein, en hij liep heel erg rechtop. In de keuken moest hij vaak lang gebogen staan, en daarom was hij voorzichtig met zijn rug.

Als hij niet meer zou kunnen werken, dacht Yoe Lan, zou hij aan wal komen en dan kon ze bij hem wonen en hem elke dag zien. Nu zag ze hem af en toe in Amsterdam, en één keer in de twee jaar ging ze met hem op vakantie.

In gedachten bleef ze op de kade lopen. Zodra ze hem in het oog kreeg zou ze gaan rennen. Dan vloog ze in zijn armen, en haar vader zou sputteren en mopperen dat ze hem bijna omverliep. En dan zou ze heel lang dicht tegen hem aan blijven staan en niks zeggen en hem alleen maar voelen en ruiken.

Maar hem voelen en ruiken, dat was precies wat ze hier, ver van hem vandaan, niet voor elkaar kreeg. Ze kon zich alleen zijn gezicht voor de geest halen, en niet eens zijn stem horen.

Ze slikte en er vielen er een paar tranen op haar kussen.

De nacht duurde verschrikkelijk lang als je eenzaam was en je vader miste. Yoe Lan kwam overeind. Ze pakte haar hoofdkussen en haar lievelingsbeer en liep de kamer uit. Ze keek naar de kier onder de deur van Josies kamer. Er brandde licht. Josie was ook nog wakker.

Yoe Lan klopte zachtjes aan en sloop naar binnen. Josie lag bij het bedlampje te lezen. Dat wil zeggen, ze had een boek voor haar neus. Maar Yoe Lan zag dat haar neus een beetje rood was. En haar ogen waren nat.

Josie sloeg haar dekbed terug. 'Kom er maar bij,' zei ze.

Moerad verheugde zich op het etentje. Hij zou iedereen vragen wat ze wilden hebben en dan zou híj de bestelling opgeven. 'Zet het allemaal maar op één rekening,' zou hij zeggen. En hij zou een fooi neerleggen. Tien procent, had zijn vader gezegd. Met tien procent zat je altijd goed.

Ze hadden ook vegetarische gerechten, dat wist hij van die middag op zolder bij Mei. Maar of er ook Chinese moslims waren was hij vergeten. In Indonesië had je ze wel, dus die wisten hoe je ritueel moest slachten. Maar de familie Fong kwam uit China.

Morgenochtend moest hij opbellen om te reserveren, bedacht Moerad. En dan kon hij meteen vragen of ze halal eten hadden dat hij mocht hebben van zijn geloof. Of was dat onbeleefd? Misschien moesten ze het speciaal voor hem maken en straks lustte hij dat gerecht niet eens.

Wat was het toch ingewikkeld om uit eten te gaan. Waarom had hij geen Marokkaans restaurant uitgezocht?

Daarom niet. Omdat ze wilden weten wat er met dat grafbeeld aan de hand was, en het antwoord was ergens in de buurt van restaurant Woo Ping. En daarom kon Moerad ook niet slapen. Het was allemaal veel te spannend.

Zou hij naar Peters kamer durven gaan? Peter was vast ook nog wakker.

Peter ging rechtop zitten. Het had geen zin in bed te blijven liggen als je toch niet kon slapen. Hij zou eens op de gang gaan kijken of er ergens in een van de kamers licht brandde. Misschien was Moerad nog wakker. Ze zouden een spelletje kunnen doen of gewoon zachtjes met elkaar praten.

Peter stak zijn hand uit naar het bedlampje. Net toen hij het aan wilde klikken hoorde hij iets bij de muur onder het raam. Een vogel misschien. Hij bleef in het donker zitten om te luisteren.

Opeens woei het gordijn opzij. Het raam vloog wijd open en een vlaag ijskoude lucht kwam de kamer in.

Maar niet alleen koude lucht. Er klonk een luide bons. Peter deed zijn mond open om te schreeuwen, maar hij was te laat. Hij voelde een hand op zijn mond en er prikte iets scherps in zijn zij. Het volgende ogenblik had hij een prop in zijn mond en was er een laken om hem heen geknoopt, zodat hij geen vin kon verroeren.

Een stem siste in zijn oor. 'Eén kik en dit mes zit tussen je ribben.'

Het bedlampje ging aan. Peter knipperde tegen het plotselinge licht. Tegenover hem, op de bureaustoel, zat een jonge man. Peter had hem al eerder gezien, heel even. Het was de koksjongen uit restaurant Woo Ping. Hij had een gluiperig gezicht met wrede ogen.

Peters ogen schoten vuur. Als blikken konden doden zat hij hier nu met het lijk van de indringer. Maar zo was het natuurlijk niet. Zijn tegenstander was springlevend, en bovendien een hoogspringer.

Er was maar één manier om bij het raam te komen, en dat was via het dak van de fietsenschuur. Daarvandaan moest je een enorme sprong maken naar de kastanjeboom die achter het huis stond. Vroeger was hij daar wel eens in geklommen, maar hoe hoger je kwam hoe minder geschikte zijtakken er waren. En vanuit de boom moest je nog ruim een meter overbruggen naar het raam.

Laatst hadden ze een video gehuurd, *Het huis van de draken*. Die ging over Chinese vechtersbazen die meters hoog konden springen, en salto's maken en dan weer neerkomen en hun vijand flink raken. Maar dat was in de middeleeuwen. En in China.

Al deze gedachten gingen razendsnel door Peters hoofd, terwijl hij probeerde zijn armen en benen te bewegen, maar die zaten stevig vastgebonden. De overvaller was razendsnel en buitengewoon handig met lakens. Misschien werkte hij als chef servetvouwen bij Woo Ping.

'Waar is het beeld?' vroeg de man. Hij bewoog zijn mes heel even, en toen haalde hij de prop uit Peters mond.

Peter wilde schreeuwen, maar hij zag dat het mes scherp was. Zijn belager was niet alleen kampioen hoogspringen en chef servetvouwen, maar waarschijnlijk ook een expert in vis fileren en vlees snijden.

'Wat voor beeld?' zei Peter. 'Ik zie geen beeld. Ik zie alleen jou en jij bent niet bepaald beeldig.'

'Ik heb je weg zien lopen met die kist,' zei de man. 'Die kist is niet van jou.'

'Nee,' zei Peter, 'die kist is van het Rijksmuseum, en wat erin zit ook.'

'Waar is dat beeldje?' siste de man. Hij prikte met het mes in Peters keel.

'Hoe wist je waar mijn kamer was?' vroeg Peter. Maar zijn ondervrager liet zich niet afleiden. Hij duwde de punt van het mes nog harder tegen Peters keel. Peter voelde een druppel bloed langs zijn hals glijden. Hij werd er alleen maar kwader van.

'Het Rijksmuseum is gewaarschuwd,' zei hij. 'We hebben de conservator gebeld. Daar op mijn bureau ligt het briefje met zijn nummer, als je me niet gelooft.' Hij hoopte dat de man even opzij zou kijken, maar dat gebeurde niet.

'Morgen staat de politie op de stoep bij Woo Ping,' blufte Peter. 'Djien mag blij zijn dat het beeldje daar niet meer is.'

'Wat weet jij van Djien?' siste de man met een woedende blik in zijn ogen.

'Alles,' zei Peter. 'En de politie weet het ook. Dus als jij mij iets doet zullen ze je gauw weten te vinden, want jij werkt in de keuken bij Woo Ping. Wij hebben je allemaal gezien.'

De koksjongen leek even van zijn stuk gebracht. Hij liet het mes zakken. Maar niet voor lang. Hij bracht zijn gezicht vlak voor dat van Peter. 'Jij zegt me nu waar je het verstopt hebt,' zei hij dreigend.

Josie en Yoe Lan slopen de kamer uit. Ze hadden een tijdje treurig naast elkaar gelegen in Josies bed. Het hielp een beetje tegen hun heimwee, maar niet genoeg. 'Laten we kijken of de jongens ook wakker zijn,' had Josie voorgesteld. 'Ik kan vast de hele nacht niet slapen.'

Toen ze vlak bij de deur van Roels appartement kwamen hoorden ze een geluid uit de badkamer komen. Er werd een wc doorgetrokken. De huisvader sliep ook nog niet.

'Ssst!' zei Josie. Ze trok Yoe Lan mee een kamer in. Gelukkig dat alle andere bewoners van het internaat met vakantie waren. De kamer was leeg. De meisjes deden de deur niet dicht, dat zou te veel lawaai maken. Ze deden een paar stappen en bleven met ingehouden adem in het donker staan.

Er klonken voetstappen op de gang. Ze kwamen dichterbij. Plotseling moest Yoe Lan niezen. 'Hatsjoe!'

Josie legde haar hand op Yoe Lans mond, maar het was al te laat.

90

De voetstappen stopten voor de deur. Die ging verder open en een hand tastte naar het lichtknopje.

'Josie! Yoe Lan!' zei een stem. Het was de huisvader niet. Het was Moerad. 'Wat staan jullie hier te doen?' fluisterde hij verbaasd.

'Wat doe jij hier?' siste Josie.

'Ik hoorde iets op de gang,' zei Moerad. 'Kunnen jullie ook niet slapen?'

'Slimme vraag,' mompelde Josie.

Ze slopen de gang op en liepen op hun tenen naar Peters kamer. Toen ze voor zijn deur stonden keken ze elkaar verbaasd aan. In de kamer werd zacht gepraat. Maar wie kon dat zijn? Alle bewoners van Huize Boegbeeld waren weg. En Roel bracht geen nachtelijke bezoekjes aan de pupillen. Zou Peter in zijn slaap praten? Maar het leken toch echt twee verschillende stemmen.

Josie keek naar de onderkant van de deur. Door de kier was te zien dat er op Peters kamer licht brandde. Ze klopte zachtjes aan. Meteen ging het licht uit. Dat was vreemd.

'Peter?' fluisterde Josie zo duidelijk mogelijk.

'Ga weg, Rosie,' hoorde ze. 'Ik slaap.'

Rosie? Ze keken elkaar verbaasd aan. Er was iets niet in orde daarbinnen.

Josie deed voorzichtig de deur open.

'Pas op!' riep Peter.

Josie werd hardhandig de kamer in getrokken.

'Wat...?' zei Moerad. Toen trapte hij de deur verder open en rende naar binnen. Bij het licht dat uit de gang in de kamer scheen zag hij Peter als een mummie op zijn bed zitten, met lakens strak om zich heen gewonden. Josie en een vreemde man waren één stuiterende kluwen van trappende benen en stompende vuisten.

Ik moet de huisvader waarschuwen, dacht Moerad. Hij draaide zich om en botste tegen Yoe Lan op, die in de deuropening stond en het licht aandeed.

'Djien!' riep Yoe Lan, 'wat doe jij hier?' Toen deed ze de kamerdeur vlak voor Moerads neus dicht en ging ervoor staan. 'Sst!' zei ze. 'Maak Roel niet wakker.'

Djien keek even om toen hij zijn naam hoorde. Dat was het moment waar Josie op gewacht had. Zo hard ze kon schopte ze tegen zijn benen. Djien verloor zijn evenwicht. Met zijn hoofd raakte hij de bedrand. Even bleef hij versuft liggen.

Josie sprong bovenop hem en draaide zijn armen op zijn rug. Moerad ging op zijn benen zitten. Yoe Lan knoopte met haar vlugge vingers Peters lakens los.

Ze bonden Djien ermee vast in plaats van Peter. Toen hoorden ze de deur van Roels appartement opengaan. Voetstappen kwamen hun kant op. Yoe Lan deed vlug het licht uit.

Er werd geklopt. 'Peter?' zei Roel. 'Was jij dat?'

'Ik was misselijk, meneer,' riep Peter. 'Nu gaat het beter.'

'Oké,' zei Roel. De voetstappen verwijderden zich weer.

Peter deed zijn bedlampje aan en keek naar Djien. Het was gek, maar als je eenmaal wist dat hij de broer van Mei was leek hij helemaal niet meer zo gluiperig en wreed. De jongen zag er vooral moe uit.

'Waarom heb je het beeldje gestolen?' vroeg Peter.

Djien antwoordde niet.

'Is het een kopie?' vroeg Moerad.

Djien keek even op, maar zei niets.

Ze konden zo niet blijven zitten. Als de huisvader weer iets hoorde zou hij vast en zeker binnenkomen. En de politie waarschuwen. Dat zou Mei niet leuk vinden. En ík ook niet, dacht Peter. Het is ons avontuur.

'Dat beeldje is niet hier,' zei Peter zacht. 'We komen morgenavond naar Woo Ping, als je ons dan nog niets wilt vertellen gaan we naar de politie. We kunnen je vastgebonden en al het raam uit smijten maar eigenlijk wil ik mijn lakens terug.' Hij keek Djien doordringend aan. 'Kun je stil verdwijnen?'

Djien knikte.

'Yoe Lan, ga op de gang staan en laat de deur open,' zei Peter. 'Als deze gast rare geintjes uithaalt sla je alarm.'

Yoe Lan ging in de deuropening staan. Peter maakte Djien los. Josie en Moerad stonden klaar om hem te overmeesteren als hij zou gaan vechten.

Maar Djien had genoeg van vechten. Hij liep naar het raam, stapte op de vensterbank en verdween.

Peter deed voor de zekerheid het raam achter hem dicht. Ze zagen nog net hoe Djien zich langs de stam van de kastanjeboom omlaag liet glijden.

'Zo hé,' zei Moerad bewonderend. 'Dat wil ik ook wel leren, zo klimmen.'

'Blijf jij maar met je benen op de grond,' zei Josie.

Mei kwam de volgende morgen naar het Boegbeeld. Haar vader bracht haar met de bestelauto van restaurant Woo Ping.

Ze hadden allemaal uitgeslapen, en toen Mei kwam waren ze net klaar met ontbijten. Moerad was wakker genoeg om op mijnheer Fong af te stappen en een tafel in het restaurant te reserveren voor die avond.

'Kom, we gaan Woelf uitlaten,' zei Yoe Lan tegen Mei.

'We gaan allemaal,' zei Peter. 'Dan kunnen we zien hoe het met Ay Wang gaat.'

Net toen ze hun jassen aan hadden kwam de huisvader tevoorschijn. Yoe Lan stelde Mei aan hem voor.

'Waar gaat dat heen?' vroeg de huisvader. 'Jullie zijn voortdurend de hort op. Dat gaat zomaar niet. Er is werk aan de winkel. Morgenavond is het kerstavond. *Christmas Eve.* Overmorgen is het eerste kerstdag. En wat gaat er dan gebeuren?'

'Het kindje Jezus wordt geboren,' zei Yoe Lan.

'Fout!' zei Roel. 'Ik bedoel niet dat het verkeerd is dat hij geboren wordt, of werd, of is...'

Ze stonden te draaien en te zuchten. Het was warm in de gang. Josie ritste haar jas maar weer los.

Roel gooide de deur van de huiskamer open. Ze snoven de geur op die onmiddellijk de hele gang vulde. Goedkoop badschuim, dacht Josie. Een gezinsfles. Dennen.

Ze keken naar binnen. In de hoek van de huiskamer, achter de spelletjestafel, stond een grote kerstboom. Ernaast stond een stapel dozen. Roel had ze zeker zelf maar uit de schuur gehaald. Ze zaten propvol met kerstballen, klokjes, slingers, nepsneeuw, engeltjes en...

'De vogeltjes!' riep Yoe Lan. Ze rende naar de kerstboom en begon de bovenste doos uit te pakken. Ze was Woelf en Mei op slag vergeten en ze vergat ook haar jas uit te trekken. 'Ik doe de vogeltjes!' zei ze voor alle zekerheid nog eens. Ze hield van de glazen vogeltjes met hun rode snaveltjes en zachte staartjes van glasvezel die wiegden in de lucht.

'Dat bedoel ik,' zei Roel tevreden. 'Vandaag gaan we de kerstboom optuigen.'

'Maar...' begon Peter. Voor één keer stond hij met zijn mond vol tanden. De nacht was te vermoeiend geweest, en zijn hoofd zat zo vol met vragen dat er geen ruimte was om smoesjes te verzinnen voor de huisvader. Hij kon moeilijk zeggen dat ze naar Ay Wang gingen kijken.

'Kijk niet zo sip, jongen,' zei de huisvader. 'Het dooit, dus je kunt niet gaan schaatsen. En het regent, dus het gras is te modderig om te voetballen. Wat wilden jullie trouwens gaan doen buiten?'

Ze begonnen omstandig hun jassen uit te trekken, om geen antwoord te hoeven geven. Yoe Lan had de hare nog steeds aan. Zij en Mei zaten op de grond met de vogeltjesdoos tussen hen in. Er waren rode, blauwe, witte en doorzichtige vogeltjes. Ze hadden ze keurig verdeeld, zodat ze er allebei precies evenveel in de boom konden zetten.

'Ik doe de piek,' zei Moerad. Er stond al een trapje naast de boom om de piek op de top te zetten, die bijna het plafond raakte.

Peter haalde de emmer water die altijd onder de boom stond voor het geval een van de slingers vlam zou vatten. Ze hadden echte kaarsjes. Elk jaar begon de verzorgster die de kerstdagen dienst had over elektrische kaarsjes, en veiligheid, maar de kinderen hoefden niet eens te protesteren, dat deed Roel wel.

'Een kunstboom zonder vallende dennennaalden, met elektrische kaarsjes, met nepballen die niet kunnen breken, en een diepvrieskerstmaaltijd uit de magnetron,' zei hij dan. 'Is dat jouw idee van feest?' Hij keek vernietigend over zijn brillenglazen naar de arme verzorgster.

Josie hing de ballen en klokjes en slingers in de boom. Ze liet de engeltjes liggen voor Yoe Lan en Mei. Die waren nog lang niet klaar met de vogeltjes. Eigenlijk was geen tak mooi genoeg voor de beestjes. Ze lieten ze rond de boom vliegen op zoek naar een veilig plekje.

Roel bracht chocolademelk en kerstkransjes. 'Ik laat jullie alleen,' zei hij met een verhit gezicht, 'ik ga terug naar mijn potten en pannen.' Bij de deur draaide hij zich om. 'Ik ben blij dat jullie vanavond uit eten gaan,' zei hij, 'want anders hadden jullie brood moeten eten. Ik ben nog lang niet klaar voor morgenavond.'

Elk jaar met kerstavond kookte Roel. Op eerste

kerstdag ging hij op familiebezoek, en daarom was het feestdiner in Huize Boegbeeld een dag eerder. Roel liet Kokkie de boodschappen bestellen, maar verder deed hij alles zelf. En het was geen diepvriesmaaltijd uit de magnetron. Hij zette een kookboek op het aanrecht en begon mompelend te snijden en te wassen.

Elk jaar op kerstavond worstelden de kinderen die niet naar hun familie waren zich door aangebrande aardappels, ongare groente, halfrauwe kalkoen en pudding met velletjes. Misschien zou de huisvader er iets van opsteken als hij zelf zijn maaksels zou proeven, maar na twee dagen koken kon hij geen hap door zijn keel krijgen. 'Eten jullie maar lekker alles op,' zei hij altijd stralend. 'Het is maar één keer kerstavond.'

De hemel zij dank, dachten de kinderen dan.

Dit jaar had de huisvader er een probleem bij gekregen. Het was een probleem met mooie donkere ogen en zwart haar, en het heette Moerad. Vorig jaar was Moerad in de kerstvakantie naar zijn vader geweest.

'Vegetarisch koken is tot daar aan toe,' had Roel een paar dagen voor kerst aan tafel gemopperd. 'Gewoon een ei koken of een groenteschijf kopen. Maar hoe ik halal moet koken weet ik echt niet. Moet al het eten in een aparte pan of zo? En wat voor eten?' Hij krabde over zijn hoofd en rolde wanhopig met zijn ogen.

Yoe Lan had medelijden met hem. 'Als u nou naar de Turkse slager gaat,' zei ze, 'en al het vlees daar koopt, dan hoeft u maar één keer te koken voor ons allemaal. Behalve mijn ei natuurlijk.'

'Hoe weet jij dat?' vroeg Roel verbaasd.

Dat wilde Yoe Lan niet verklappen. 'Hij is heel

goedkoop,' zei ze haastig. 'En hij heeft ook vleeswaren. Moerad zou dan niet alleen maar pindakaas en zo hoeven eten. Ik wou dat Kokkie het ook daar kocht.'

'Ik zal het er met haar over hebben,' had Roel beloofd.

Zodra de huisvader de kamerdeur achter zich had dichtgetrokken ploften de vijf kinderen neer rond de salontafel. Ze dronken hun chocolademelk en aten de schaal met kransjes leeg. Ze keken tevreden naar de kerstboom, die in volle glorie stond te pronken; dat wil zeggen zonder engeltjes, en zonder de kaarsjes aan.

Yoe Lan en Mei hadden geen afscheid kunnen nemen van alle vogeltjes. Ze hadden er elk een meegenomen. Ze legden het in hun schoot toen ze aten en dronken, en pakten het meteen weer op toen ze klaar waren. Ze aaiden met gelijke bewegingen over het zilverige staartje.

'Waar is Ay Wang?' vroeg Mei.

'O, we moeten naar Woelf!' zei Yoe Lan. Ze keek naar het vogeltje in haar hand. 'Ik ga jou neerzetten,' zei ze. 'Zoek maar een takje.' Haar vogeltje zocht een geschikte tak uit en dat van Mei ook.

Josie hing vlug de engeltjes op. Moerad ging de huisvader halen. Hij bewonderde de boom. Je kon veel van hem zeggen, dacht Josie, maar een zeurpiet was hij niet. Hij zei niets van de piek die scheef stond, niets van de vogeltjes die om de een of andere reden allemaal op een kluitje bij elkaar zaten, en niets van de kaarsjes die niet rechtop wilden staan en allemaal naar links of rechts overhelden, zodat je er zeker van kon zijn dat het kaarsvet op de vloer zou druipen, en op de engeltjes, ballen, klokjes en slingers.

'Prachtig!' zei Roel handenwrijvend. 'We eten natuurlijk in de huiskamer morgen. Wat een feest zal dat worden! Wat een smulfestijn!' Hij keek zorgelijk op zijn horloge en slofte weg. 'De uien moeten van het vuur,' mompelde hij. Toen de kamerdeur openging kwam een bittere lucht van zwartgeblakerde uien ze tegemoet.

Toen konden ze eindelijk Woelf gaan opzoeken. En Ay Wang.

Ze zaten onder het afdakje waar de houtblokken voor de open haard lagen opgestapeld. Yoe Lan had Woelf losgelaten en Peter had gekeken of Ay Wang nog veilig in het nachthok lag.

'Zou de boer het hok niet schoon gaan maken voor Kerstmis?' had hij gevraagd.

'Dat heeft hij al gedaan,' zei Yoe Lan. 'Daar heb ik heus wel aan gedacht.'

Peter lachte. Yoe Lan dacht aan alles wat met Woelf te maken had. Ze had hem extra geborsteld voor de feestdagen en hem laten rennen op het weggetje langs de boerderij. Nu lag hij met zijn kop op haar knie te wachten tot Mei zou gaan vertellen. Ze wachtten allemaal.

'Weet je dat je broer bij ons geweest is?' vroeg Peter. Hij zei niets over de onaangename kanten van Djiens bezoek.

Mei knikte. 'Ik heb hem vanmorgen gezien,' zei ze. 'Hij moest heel vroeg op. Overmorgen is het kerstdiner in ons restaurant. Mijn opa en oma komen helpen. Ik moet vanmiddag ook in de keuken werken.'

Mei trok met haar schoen rondjes in het zand. 'Djien is niet slecht,' zei ze zacht. 'Hij probeert te helpen.'

'Helpen waarmee, Mei?' vroeg Josie. 'Waarom

100

moet Djien stelen om jullie te helpen?'

'Oom Ho,' zei Mei zo zacht dat ze de naam van haar lippen moesten lezen. Toen hief ze haar hoofd op, keek de anderen een voor een aan, slikte en begon te vertellen.

'Een paar jaar geleden kwam er een man bij mijn vader. Hij zei dat hij ons zou beveiligen.'

'Bedoel je met extra sloten op de deur, en bewakingscamera's en een alarminstallatie?' vroeg Moerad.

Mei schudde haar hoofd. 'Hij zou ons beschermen tegen overvallers. Mijn vader zei dat er nooit een overval was geweest. Hij stuurde de man weg. De volgende avond was er een overval in Woo Ping. En de week daarna was er 's nachts brand.'

'Dus dat deed die man zelf!' zei Josie.

'Een afperser,' zei Peter.

'Hij kwam weer bij mijn vader langs. Voor een paar honderd euro per week zou hij ons beveiligen, zei hij. Mijn vader moest wel.'

'En de politie?' vroeg Yoe Lan. 'Ging hij niet naar de politie?'

'Er was nog een Chinees restaurant vlak bij ons. Shanghai Palace. Dat was van een vriend van mijn vader. Die vriend is naar de politie gegaan, toen de afperser bij hem was geweest, maar de politie kon niks doen. En de vriend van mijn vader is vlak daarna verdwenen.'

'Bedoel je dat hij vermoord is?' vroeg Josie.

'Niemand weet het,' zei Mei.

Peter keek ongerust naar haar bange gezicht. Dit was iets anders dan gestolen beeldjes. Deze zaak was te gevaarlijk voor hen. Dit waren geen kinderspelletjes meer.

'Toen kwam de afperser weer langs. Hij bracht mensen mee uit China. Die moesten in de keuken helpen. Ze waren heel goedkoop, dus mijn vader kon ze betalen. Hij wilde niet, maar hij moest.'

'Vertel eens over Djien,' zei Peter.

'Mijn vader kon de afperser niet meer betalen. Dat betekende dat Woo Ping overvallen zou worden en in brand gestoken en misschien zouden ze mijn vader ook iets doen.'

'Ze?' vroeg Yoe Lan met grote ogen.

'Het zijn er meer, het is een groep, niet één iemand.'

'Een criminele organisatie,' zei Peter.

'Ze namen Djien mee naar de baas van de afpersers,' zei Mei. 'Oom Ho noemden ze hem. Oom Ho zei dat Djien dingen voor hem moest regelen en dan zouden ze mijn vader niks doen. Daarom.'

Peter zuchtte. 'Maar waarom heeft Djien het al die tijd bij zich gehouden?'

Mei haalde haar schouders op.

'Hij kon het alleen maar stelen toen zijn afdeling van het museum ging verhuizen,' zei Josie. 'En misschien wilde oom Ho het nu pas hebben.'

'Waarom wilde je dat wij het beeldje meenamen?' vroeg Peter.

'Ik weet het niet precies,' zei Mei. 'Ik wil niet dat Djien in de gevangenis komt. Met andere jongens is het ook zo gegaan. Kunnen jullie het beeldje niet naar oom Ho brengen? Dan kan er niks met Djien gebeuren.'

'Dat zou veel te gevaarlijk zijn,' zei Peter. 'En daar is het nu te laat voor. Die Jan Kamperland van het Rijksmuseum weet ervan.'

'Dan wil ik dat jullie Ay Wang naar het museum terugbrengen,' zei Mei. 'Dan kan Djien tegen oom Ho zeggen dat het niet gelukt is om het beeldje te stelen.'

'Maar hoe?' vroeg Moerad. 'Als we haar naar het museum brengen worden we gearresteerd.'

'Ik geloof dat ik iets weet,' zei Peter. 'Een manier om het beeldje veilig bij het museum terug te bezorgen. Maar eerst moeten we weten of Ay Wang echt is of een kopie. Moerad, geef me je telefoon nog eens even.' Hij zocht het nummer van de conservator op en zette de telefoon op meeluisteren. 'Ik word doorgeschakeld,' fluisterde hij.

'Kamperland.'

'Jan Jansen hier,' zei Peter.

'Dag Joop,' zei Jan Kamperland. 'Het was toch Joop, niet?'

Peter beet op zijn lip.

'Ik ben in Apeldoorn,' zei de conservator. 'Dit is een ernstige zaak. Het dienaresje dat hier staat opgesteld is een kopie. Een knappe kopie. Ik weet niet...'

Peter liet hem niet uitpraten. Te gevaarlijk. Wie weet wie er meeluisterde. Hoe snel kon de politie een telefoonnummer achterhalen? Hij verbrak de verbinding en vertelde de anderen wat Kamperland gezegd had. Toen belde hij opnieuw.

'Joop Jansen nog eens. We bezorgen u het grafbeeldje terug, binnen vierentwintig uur. U moet meteen teruggaan naar huis en op bericht wachten. Maar als we politie zien nemen we het weer mee. Oké?'

'Maar...' zei Kamperland.

'Oké?' vroeg Peter.

'Oké,' zei de conservator met hoorbare tegenzin.

Moerad stopte zijn mobieltje weg. 'Maar hoe brengen we haar nou terug?'

'Wij gaan lekker zwemmen vanmiddag,' zei Peter.

Ze keken hem verbaasd aan. Woelf kwispelde.

'Nee, Woelf, jij niet,' zei Peter. 'Wij vieren gaan naar het Westerbad, met zo'n hele grote stoere sporttas waar slippers in zitten en een duikbril en een badhanddoek en een klein meisje dat Ay Wang heet.'

'De kluisjes!' zei Josie.

'Precies. Daar laten we het beeldje in achter. Zo'n slot maken ze pas na sluitingstijd open, als er iemand is weggegaan zonder de sleutel in te leveren. En 's avonds is het bad open want dan is er banenzwemmen. Roel gaat daar altijd naartoe als hij vindt dat hij een buikje krijgt.'

'Dus we brengen de sleutel van het kluisje naar Kamperland,' zei Moerad. 'Dat valt niet zo op als een kist met inhoud.'

'Precies,' zei Peter. 'En bovendien wordt de envelop bezorgd door een krantenjongen, zo eentje die met tassen vol folders langs de brievenbussen rijdt.'

'O,' zei Josie. 'Dat is voor het geval er politie bij het huis van Kamperland staat. Snugger.'

'Maar waar halen we die krantenjongen vandaan met die folders?' vroeg Yoe Lan.

'Goeie vraag,' zei Josie.

Yoe Lan zuchtte.

Woelf likte haar hand.

'Ja,' vroeg Moerad, 'waar vinden we zo'n jongen?'

Peter glimlachte naar hem. 'Hier zit hij,' zei hij. 'Hij heet Moerad. De oude folders haalt hij uit de schuur. En dan gaat Kamperland vanavond fijn een baantje trekken. In zijn kluisje ligt dan een verrassing.'

'Past Ay Wang in een kluisje?' vroeg Yoe Lan bezorgd.

'In de bovenste,' zei Peter, 'die zijn groter. Maar zonder het kistje. We rollen haar in een badhanddoek.'

Door al hun plannen waren ze Mei bijna vergeten. Ze zat stilletjes naast Yoe Lan en staarde voor zich uit.

'Vanavond komen we bij jullie eten,' zei Moerad om haar te troosten. 'We laten je niet in de steek hoor!'

'Jullie kunnen niks voor ons doen,' zei Mei. Maar ze keek toch iets vrolijker.

'Jij moet iets voor ons doen!' zei Moerad. 'Je komt ons toch zeker bedienen, en uitleggen wat alles is?'

'Ja!' zei Mei. 'Dat vind ik leuk.' Ze sprong overeind. 'Nu moet ik naar huis om te helpen in de keuken.'

'Dat moet je zeker,' zei Moerad. 'Want het gaat om óns eten. Iets belangrijkers is er niet!'

Mei lachte.

'Welkom op mijn verjaardagsdiner!' zei Moerad trots.

'En nog gefeliciteerd!' zeiden de andere drie.

Ze hadden geen feestelijkere plek uit kunnen zoeken voor een verjaardag. De moeder van Mei had hen glimlachend welkom geheten en hun de mooiste plaats van het restaurant gegeven, voor het raam.

Moerad kreeg een gelukskoekje van haar. Hij vouwde het papiertje dat eromheen zat open. *Een goede vangst!* stond erop.

'Jammer dat ik geen visser ben,' zei Moerad.

'Of honkballer,' zei Peter.

Ze zaten in een nis naast de ingang van Woo Ping. Boven hun hoofden hingen lampionnetjes met rode zijden franje, op de muur waren groen-met-gouden draken geschilderd en op de porseleinen borden stonden landschapjes met vissers, boeren en elegante dames met parasols.

Het restaurant was niet vol, maar hier en daar zaten mensen te eten en de heerlijkste geuren zweefden uit de keuken omhoog.

'Wat krijg je een honger van zwemmen,' zei Moerad. Hij keek verlangend naar Djien, die aan een andere tafel de bestellingen opnam.

Yoe Lan hield een leeg kommetje tegen het licht.

'Kijk,' zei ze, 'hier zijn echte rijstkorrels meegebakken in het aardewerk. Mooi hè?'

'Ja,' zei Moerad, 'maar daar heeft mijn maag niks aan, aan die rijst.'

Josie stootte Yoe Lan aan.

'O ja!' zei Yoe Lan. Ze gaf Moerad hun cadeau.

'O!' zei hij verrast. Toen keek hij hen om beurten aan. 'Aha!' zei hij. 'Daarom moest ík die sleutel naar de conservator brengen! Omdat jullie een cadeautje gingen kopen.'

'Mis,' zei Josie. 'Want het is geen cadeautje maar een cadeau!'

Ze hadden Ay Wang veilig naar het Westerbad gebracht. Als je haar schuin overeind zette paste ze net in het grootste kluisje. Peter had zijn badhanddoek opgeofferd om haar goed in te stoppen zodat ze niet om kon vallen.

'Pas maar op dat ze geen DNA-sporen op je handdoek vinden!' had Josie geplaagd. Dat had Peter op een idee gebracht. Misschien stonden de vingerafdrukken van Djien wel op het beeldje. 'Gaan jullie eens om me heen staan,' zei hij. Terwijl de andere drie hem aan het zicht onttrokken veegde hij met zijn handdoek Ay Wang helemaal schoon.

'Heb je lekker gezwommen, Ay?' vroeg Yoe Lan.

'Ze heeft alleen pootje gebaad,' zei Josie. 'Ze kan niet zwemmen.'

Ze waren een uur in het warme recreatiebad gebleven. Yoe Lan en Josie waren in het bubbelbad en de Turkse stoomcabine geweest en Peter en Moerad waren wel twintig keer van de glijbaan gegaan. Toen

Moerad voor de eenentwintigste keer naar boven liep, had Peter Josie en Yoe Lan opgezocht en een tijdje met hen staan smoezen.

Daarna hadden Peter en Moerad zich in het gezinshokje tegelijk afgedroogd met één handdoek. Erg droog waren ze niet geworden, maar gelachen hadden ze wel.

'Ik doe jouw zwemspullen in de was, Moerad,' zei Peter, 'terwijl jij de sleutel van het kluisje wegbrengt. En dan zijn we allemaal om half zeven bij Woo Ping.' Hij stak het bandje met de sleutel eraan in de envelop die hij van huis had meegenomen. Op de voorkant stond het adres van Kamperland, en achterop de naam van het zwembad. De folders die Moerad zogenaamd ging bezorgen hadden ze in de fietstas laten zitten.

Moerad had een beetje vreemd opgekeken. 'Fietst er niemand van jullie mee?' vroeg hij. 'Tot aan de straat?'

'Ik ga Woelf uitlaten!' zei Yoe Lan.

'Ik moet mijn ouders nog mailen,' zei Josie. 'Ik mag op de computer van Razende Roeltje, omdat het voor Kerstmis is.'

Toen was Moerad maar alleen gegaan. Eerst had hij overal in de brievenbussen van de omringende huizen folders gestopt, en toen er geen politie tevoorschijn kwam had hij de brief met de sleutel netjes afgeleverd bij Kamperland.

Josie, Peter en Yoe Lan hadden hun zwemspullen in de wasmachine gedaan. Toen hadden ze Woelf opgehaald en waren naar de stad gegaan.

In de Chinese supermarkt op het plein hadden ze

naar een geschikt cadeau gezocht. Yoe Lan wilde zo'n leuk wit maskertje voor hem kopen dat in toneelstukken werd gebruikt, maar Peter vond dat meisjesachtig. Josie stelde voor om met ivoor ingelegde eetstokjes te geven, zodat Moerad dan langzamer zou leren eten en niet meer zo zou bunkeren.

Maar Yoe Lan vond het niet aardig om een cadeau te geven dat eigenlijk een soort lesje was in netjes eten. Alles bij elkaar waren ze nog maar net op tijd in Woo Ping. Moerad stond al voor de deur te wachten.

Nu pakte hij voorzichtig zijn cadeau uit, dat in zacht knisperend rijstpapier was verpakt. Het was een Chinees schrijfstelletje, met een bamboe-pen, een flesje rode en zwarte inkt en een tekenblok.

'Om je DragonballZ te tekenen,' zei Josie. Want Moerad was de beste striptekenaar van zijn klas.

'Dit is geweldig!' riep Moerad uit. 'Het is een ander soort pen dan ik nu gebruik, en ik ben eraan toe om mijn stijl helemaal te vernieuwen!'

'Vincent van Gogh,' zei Josie.

'Ik kan niet wachten om hem uit te proberen,' zei Moerad.

'Thuis,' zei Peter. 'Nu moet je een foto van ons maken om aan je vader te sturen.'

Moerad haalde zijn telefoon tevoorschijn. Maar voor hij een foto kon maken kwam Djien aanlopen met de kaart. Hij glimlachte, net als zijn moeder, maar hij zag er moe en gespannen uit.

'Ik heb met de chef over het menu gesproken,' zei Moerad gewichtig. 'We hebben een vegetariër en een moslim aan boord.'

'Geen probleem,' zei Djien. 'Eet u wel vis?'

Moerad knikte.

'Een beetje,' zei Yoe Lan.

'Ik kan de ka lan ha aanbevelen,' zei Djien. 'Dat is broccoli met garnalen. De paktjoy is vegetarisch, en de tofoeschotel ook.' Hij legde voor ieder een kaart neer.

'Djien,' zei Peter, 'we wilden je nog wat vragen.'

'Later, ik heb het nu te druk,' zei Djien. 'Mei komt zo.'

Ze bestudeerden de kaart.

'*Ha* betekent garnalen,' zei Peter. 'En *kai* is kip, geloof ik.'

'*Babi* is varkensvlees,' zei Moerad. 'Dat mag ik in elk geval niet. En als jullie het wel nemen moet ik aan een andere tafel gaan zitten.'

'Vrolijke verjaardag,' zei Josie. 'Ik weet wat. We nemen alleen vegetarisch en vis, dan kunnen we allemaal van alles proeven.'

Ze maakten hun keus en bestelden.

'Kijk!' zei Josie.

Mei was in de deuropening verschenen. Ze had een lang gewaad aan van glimmende blauwe stof met roze bloemetjes erop. Het leek op een Japanse kimono. Haar haar was opgestoken. Ze liep met hele kleine pasjes en in haar handen droeg ze een rieten mandje met een theepotje erin. Ze glimlachte en keek bescheiden naar de grond. Ze leek als twee druppels water op een ander dienstertje, de eeuwenoude Ay Wang.

Ze aten zoveel ze op konden van de paktjoy, ka lan ha, witte rijst, kroepoek, garnalenkoekjes en nog een heleboel andere gerechten en hapjes. Mei bracht de ene schotel na de andere.

'Wil je een aardbeientaartje voor je verjaardag?' vroeg Josie aan Moerad. Ze gaf hem een stukje kroepoek met rode jam erop.

Moerad stak het in zijn mond. 'Dank je wel, Josie, wat aaargh!' Zijn ogen begonnen te tranen. Hij hapte naar lucht. Hij pakte zijn theeglas en dronk het in een keer leeg. 'Heet!' hijgde hij.

'De thee is allang lauw,' zei Josie.

'Je hebt sambal op de kroepoek gedaan, Josie,' zei Yoe Lan, 'geen aardbeienjam. Er zitten pepers in.'

'O, wat dom van me!' zei Josie.

'Dat wist je best,' zei Peter.

Moerad was bezig de hele kan ijswater leeg te drinken.

'Wacht maar, Josie,' zei hij toen hij bijgekomen was. 'Ik herkende de sambal niet, maar jij weet niet wat harissa is. Tot je op een dag jam op brood doet. Dan weet je het voorgoed. Harissa is Marokkaanse sambal.'

'Moet je maar niet altijd alles in één hap naar binnen schrokken,' zei Josie. 'Ik ben niet bang voor jouw harissa, want ik neem beschaafde kleine hapjes.'

Mei bracht bolletjes meloen en verse vruchtensalade om hun keel te verzachten. 'Dit is van het huis,' zei ze toen ze Moerads bezorgde gezicht zag. 'Dat betekent dat je het niet hoeft te betalen.'

'O,' zei Moerad opgelucht. 'Maar ik heb geld genoeg, hoor,' zei hij er gauw achteraan.

Mei bracht het lege blad weg en kwam toen bij hen zitten.

Ze hadden zo lang getafeld, dat de meeste gasten al vertrokken waren. Mevrouw Fong zat aan een tafeltje uit te blazen en thee te drinken en mijnheer Fong was bezig achter de kassa.

Djien kwam bij hun tafel staan. Hij had zijn schort afgedaan en zich omgekleed. Hij had gedoucht, zijn haar was nog nat. Hij zag er heel anders uit dan die nacht, dacht Peter.

'Zo,' zei Djien. 'Mei heeft jullie al het een en ander verteld. Ze had haar mond moeten houden, maar ze bedoelde het goed. Jullie wilden weten wat er aan de hand is.' Hij keek de tafel rond. Zijn ogen stonden kalm, en zijn stem was zacht en rustig. 'Jullie moeten beloven dat jullie straks gewoon naar huis gaan en je er verder niet mee bemoeit.'

'Dat beloven we,' zei Peter. 'Het is veel te gevaarlijk voor kinderen.' Hij keek zo ernstig dat Josie niet durfde te protesteren.

'Ik ga naar Engeland,' zei Djien, 'daar heb ik vrienden. Als ik ver weg ben ga ik de politie waarschuwen. En ik zal oompje Ho zeggen dat mijn ouders er niets mee te maken hebben. Als ze iemand te pakken willen nemen moeten ze mij maar komen halen.'

'Hoe zat dat nou met die diefstal?' vroeg Peter. 'Waar kwam die kopie vandaan? En wat moet een afperser en mensensmokkelaar met grafbeelden?'

'Mijnheer Ho is niet de baas van de organisatie,' zei Djien. 'De echte baas woont in Hongkong. Laten we hem meneer Tan noemen. Hij verzamelt oude Chinese kunst. Hij vindt dat alle Chinese kunst die in Europa of Amerika is thuishoort in China. Het is allemaal gestolen, of illegaal verhandeld, of opgekocht van onwetende arme boeren.'

'Net als die Griekse tempel,' zei Peter. 'De Akropolis. De Engelsen hebben al die marmeren beelden gestolen en in Londen in een museum gezet.'

'Klopt,' zei Djien. 'En vergeet Nederland niet. Onze musea staan vol met schatten uit de vroegere koloniën, die horen hier helemaal niet.'

'Maar hoe zit het met Ay Wang?' vroeg Yoe Lan. 'Ons dienstertje.'

'Meneer Tan heeft de beste kunstenaars uit China in dienst,' zei Djien. 'En die maken kopieën van de kunstwerken die hij wil terugstelen uit musea overal in de wereld.'

'Maar hoe smokkelen ze die kopieën dan het land in?' vroeg Moerad.

Djien schudde zijn hoofd. 'Deze Chinese vervalser is naar Nederland gekomen en heeft de dubbelgangster van het dienstertje...'

'Ay Wang,' zei Mei.

'...hij heeft de kopie hier gemaakt, en ergens laten bakken. Hij vertelde me...' Djien dacht na. 'Nou ja, hij zit allang weer in China. Hij is gewoon naar zo'n pottenbakkerscursus gegaan, en daar heeft hij allerlei beeldjes gemaakt, en toen deze. Niemand wist natuurlijk dat het een kopie van een bestaand beeldje was.'

'En jij hebt ze omgeruild?' vroeg Josie.

Djien knikte. Hij stond op. 'Ik moet nog van alles regelen,' zei hij. 'Ik neem morgenvroeg de trein naar Hoek van Holland. Prettige avond nog.'

Mei liep achter Djien aan.

Moerad vroeg om de rekening en betaalde. Toen maakte hij een foto van iedereen aan de tafel met lege schalen en borden.

'Ik denk dat we nu...' begon Peter.

Opeens vloog de buitendeur open. Er stond een man op de drempel, vlak naast de tafel waar de kinderen zaten. Hij had een bivakmuts op. En in zijn linkerhand had hij een pistool.

Meneer Fong leek te bevriezen achter de kassa. Mevrouw Fong liet een kopje uit haar handen vallen.

De man zei niets. Hij knikte naar meneer Fong. Die begon de laden van zijn kassa leeg te halen. Hij stopte het geld in een papieren zak.

Woelf begon te grommen. Hij zat vlak bij de indringer.

De overvaller richtte zijn pistool op de hond.

Opeens stond Yoe Lan op. Ze ging recht voor de man staan, precies tussen hem en meneer Fong in.

'Yoe Lan!' siste Peter.

De overvaller hield zijn pistool op Woelf gericht. Er klonk een soort gedempt gegrinnik achter de wollen muts.

Yoe Lan keek de man recht in de ogen. Toen slikte

ze, deed haar mond open en zei iets in het Chinees.

De man maakte een hoog geluid. Het klonk een beetje verbaasd, maar aan een bivakmuts kun je niet veel zien. Heel even liet hij zijn pistool zakken.

Aan dat korte ogenblik had Woelf genoeg. Hij sprong op de man af.

'Nee!' gilde Yoe Lan. Ze greep de hond bij zijn halsband.

Buiten klonk een sirene. Misschien had iemand achter in het restaurant de politie gebeld.

De overvaller draaide zich om en rende weg. Woelf rukte zich los en ging achter hem aan.

'Woelf!' schreeuwde Yoe Lan.

Meneer en mevrouw Fong kwamen aangerend. Mevrouw Fong sloeg haar armen om Mei heen en huilde. Meneer Fong liep de straat op.

Peter zuchtte diep. 'Nou, dat was...' begon hij. Toen keek hij de tafel rond. Josie en Moerad zaten met witte gezichten om zich heen te kijken. En waar was Yoe Lan gebleven?

Yoe Lan was weg.

Yoe Lan liep over de Zeedijk. Er was geen sprake van dat ze Woelf in de steek zou laten en hem alleen achter een enge man met een pistool aan zou laten gaan.

Ze zou liever rennen, maar dat was onmogelijk. Het was bijna Kerstmis, en het was druk op straat. Er waren een heleboel toeristen. Ze liepen in drommen over de Zeedijk en vergaapten zich aan etalages, menu's van restaurants en andere bezienswaardigheden.

Yoe Lan had alleen oog voor Woelf. Hij liep een eindje voor haar uit, en hij had zijn prooi uit het oog verloren, want hij liep met zijn neus langs de grond om zijn spoor te volgen. Gelukkig maar dat hij vierduizend keer beter kan ruiken dan ik, dacht Yoe Lan. Of was het veertigduizend? Want zij rook alleen maar eten, en een walm van drank en sigarettenrook.

Woelf rende een smal steegje in. Halverwege stond een man tegen de muur te plassen. Toen Yoe Lan zich langs hem wurmde gromde hij iets en pakte haar arm vast. Yoe Lan rukte zich los en holde verder.

Ze was wel geschrokken, maar bang was ze niet. Daar had ze geen tijd voor. En als ze Woelf riep zou hij zich meteen omdraaien en naar haar toe komen. Tenminste, als ze hem echt nodig had. Want hij leek vastbesloten de man op te sporen.

En dat was maar goed ook, dacht Yoe Lan. Het werd

116

tijd dat er een eind kwam aan al dat afpersen en over-vallen. Het was helemaal niet gezellig meer met Mei.

Ze had Woelf in het rustige steegje al bijna inge-haald. Zíj hoefde niet met haar neus langs de grond te lopen en uit die miljoenen luchtjes de geur van de man met de bivakmuts op te snuiven.

Ze renden langs grachtjes, over bruggetjes, door smalle straatjes en over een klein pleintje, op plavei-sel van kinderhoofdjes, straatstenen en stoeptegels. Eén keer struikelde Yoe Lan over een uitstekend stuk stoep, en toen draaide Woelf zich heel even om om te kijken of ze nog op haar benen stond. Hij had iets in zijn bek.

Hij wist dus heel goed dat ze achter hem liep, dacht Yoe Lan.

En toen, opeens, hield Woelf op met rennen. Hij draaide zich om naar Yoe Lan en kwispelde. Yoe Lan rende naar hem toe, bukte zich en sloeg haar armen om hem heen.

'Geef je het op, ouwe jongen?' vroeg ze plagend. Ze trok de bivakmuts uit zijn bek. Die had de overvaller onderweg verloren. Ze stopte het ding in haar broek-zak. Nu pas merkte ze dat ze geen jas aanhad.

Woelf gromde. Niet tegen zijn baasje, maar tegen de dichte deur recht voor zijn neus. Het spoor liep naar die deur toe, dat wist hij zeker. Yoe Lan kon die deur openmaken, dat wist hij ook. Waar wachtte ze nog op?

Yoe Lan keek naar de gevel van het oude pakhuis. *Sweetwater Inc.* stond op een bordje naast de dubbe-le deuren. Ze zag licht branden achter de luiken op de eerste verdieping. 'Kom Woelf,' fluisterde ze. 'We moeten terug.'

Woelf wilde niet meekomen. Hij had zijn prooi gevonden, waarom gingen ze niet naar binnen?

Yoe Lan trok Woelf mee. 'Denk erom,' zei ze, 'ik ben de baas.' Ze gaf hem een klapje tegen zijn achterlijf. 'Mee,' zei ze zachtjes maar streng. Woelf jankte even en volgde haar toen gehoorzaam.

Yoe Lan liep naar de hoek van de straat. Boomsteeg, stond er op het straatnaambordje. 'Naar Mei terug,' zei ze tegen Woelf. Ze had geen idee waar ze waren.

Het was niet ver. De terugweg was veel korter dan de heenweg. Misschien had de overvaller een omweg gemaakt om Woelf af te schudden, of misschien was hij een beetje verdwaald.

Voor restaurant Woo Ping stond een politieauto met zwaailicht. Er dromden mensen omheen.

Yoe Lan liep met Woelf naar binnen. Niemand hield haar tegen. In de eetzaal liepen een paar politieagenten rond. Djien was er ook, die was nog niet naar Engeland vertrokken.

Zodra ze Yoe Lan zagen stormden Peter, Josie en Moerad op haar af. Ze riepen door elkaar. 'Waar was je?' 'Dit mag je nooit meer doen!' 'Brave Woelf, heb je haar teruggebracht?'

Woelf gaf geen antwoord, en Yoe Lan ook niet. Yoe Lan liet zich op een stoel zakken om uit te hijgen. Ze rilde. Nu merkte ze pas hoe koud ze geworden was en hoe bang ze was geweest.

De anderen kwamen erbij zitten. Moerad pakte zijn mobieltje. 'Even een foto maken van de teruggekeerde helden,' zei hij.

Een politieagent keek naar Yoe Lan en overlegde met een collega.

'We hebben Roel gebeld dat het eten wat uitliep,' zei Peter. 'Roel zei dat we maar een taxi moesten nemen. En we hebben de politie niks over het beeldje en Djien verteld. Dat moet hij zelf maar doen.'

Yoe Lan knikte. Zij zou de broer van Mei niet verraden.

Er kwam een politieagent aan hun tafel zitten. Het was een grote, blonde man met vriendelijke blauwe ogen. Hij had een opschrijfboekje bij zich.

'Dus jij bent het domme meisje dat achter de boef is aangerend,' zei hij ernstig tegen Yoe Lan.

'Niet achter de boef,' zei Yoe Lan. 'Achter mijn hond.'

'Hé,' zei Josie, 'wat zei je eigenlijk tegen die overvaller?'

'Ja,' zei Moerad, 'iets in het Chinees. En toen lette hij even niet op.'

Yoe Lan bloosde. 'Ik kon zo gauw niks bedenken,' zei ze. 'Ik zit nog niet zo lang op les.'

'Maar wat zei je?' vroeg Peter. 'Zei je: "hoepel op"? Of "handen omhoog"?'

Yoe Lan aaide Woelf over zijn kop. 'Ik zei het enige wat in me opkwam. Ik zei: "Let op! We beginnen nu met de eerste les!"'

'Zei je dat?' vroeg Josie proestend. 'Dat zal hem wel aan het schrikken gemaakt hebben!'

'Nou, hij liep toch weg,' zei Yoe Lan.

'Ja, waar liep hij naartoe?' vroeg de agent. 'Je bent hem zeker kwijtgeraakt.'

Woelf gromde beledigd.

'Boomsteeg 16,' zei Yoe Lan. 'Daar was zo'n huis waar je dingen in doet.'

'Een bordeel?' vroeg de agent.

'Een pakhuis,' zei Peter. 'Een huis waar ze goederen in opslaan, hè Yoel?'

'Ja,' zei Yoe Lan. 'Maar ik weet niet wat. Bij de deur stond *Sweetwater Inc.*.'

De agent keek plotseling op van zijn aantekenboekje. Toen stond hij haastig op, liep naar zijn collega's toe en begon druk te praten. Een van hen liep meteen daarna naar buiten.

'Ze gaan een inval doen,' zei Peter. 'En wij gaan nu als een haas...'

'Kijk eens!' zei Moerad. Hij hield hun zijn mobieltje voor.

Ze keken allemaal. Er stond een foto op het schermpje van een hand. Het was een rechterhand. De rechterhand van een man. En de hand had maar vier vingers. De pink ontbrak.

Moerad legde het mobieltje voorzichtig op tafel, alsof het een gevaarlijke gifslang was. 'Ik zat naar de foto's te kijken die ik net van jullie genomen heb. En toen zag ik deze.'

Op de foto was vaag het gezicht van Yoe Lan te zien, en ter hoogte van het tafelblad dook die hand achter haar op.

'Ik heb per ongeluk afgedrukt, denk ik,' zei Moerad.

'Wat hebben jullie daar?' vroeg een stem.

Ze keken geschrokken op. Het was de agent weer.

'De dader, denk ik,' zei Moerad kleintjes. Hij wees met een vies gezicht naar zijn arme mobieltje, dat het toch ook niet kon helpen.

'Ik ben trouwens Jaap,' zei de agent. Hij pakte het mobieltje op en bekeek de foto. Toen begon hij te lachen en sloeg Moerad op zijn schouder. 'Ik denk dat we de vis gevangen hebben.'

'Vis?' vroeg Yoe Lan. Ze keek rond. 'Waar is Mei gebleven?'

'Met haar moeder naar boven,' zei agent Jaap. 'Ze was erg overstuur. Ze riep dat het allemaal door het dienstertje kwam, maar de familie Fong heeft helemaal geen dienstertjes, alleen een kelner. Begrijpen jullie wat ze bedoelde?'

Ze schudden met onnozele gezichten van nee.

Jaap trok een stoel bij de tafel en ging zitten. 'Ik denk dat wij iets uitgebreider moeten praten. Misschien hebben jullie toch meer gezien dan we dachten. Laat ik eerst iets over ons onderzoek vertellen.'

'Onze vader wordt ongerust,' zei Peter. Een van de prettige eigenschappen van Roel was nu juist dat hij eigenlijk nooit ongerust was. Als de kinderen buitenshuis waren leek het wel of hij ze compleet vergeten was. Maar Peter was bang dat een van de vier zijn mond voorbij zou praten en Djien zou verraden.

'Het tehuis wordt nog een keer gebeld,' zei Jaap. 'En we brengen jullie met de auto terug naar huis.'

'O, leuk,' zei Moerad. 'Mogen de sirenes dan aan?'

'Ik ben bang van niet,' zei Jaap. 'Maar misschien het zwaailicht.'

'Goed dan,' zei Moerad. 'En kan mijn fiets achterin?'

'O ja, de fiets,' zei Yoe Lan. 'Wij zijn met de tram gekomen maar jij moest natuurlijk...'

'Hij moest weer zo nodig fietsen,' zei Josie vlug. Ze keek boos naar Yoe Lan. Die had bijna iets over het beeldje en mijnheer Kamperland gezegd.

'De fiets kan achterin,' zei Jaap. 'Goed. Wij zijn al lang met deze zaak bezig. Samen met de vreemdelingendienst en de douane. Het gaat om afpersing, om mensensmokkel, om kunstroof en nog veel meer. We kregen net melding van een gestolen Chinees beeldje uit het Rijksmuseum... Maar mondje dicht jullie, want ze willen niemand op slechte ideeën brengen, dus het komt niet in de krant.'

Ze hielden allemaal hun mond stijf dicht, behalve Woelf die nog zat na te hijgen van zijn speurtocht.

Jaap keek onderzoekend naar hun zwijgende gezichten. 'Het rare is, dat de conservator van het museum het gestolen beeldje terug heeft gekregen via een jongen, of een stel kinderen, en dat er op het beeldje haren zaten. Het leken wel hondenharen.'

'Woef,' zei Woelf zachtjes. Toen keek hij om zich heen naar zijn baasjes en deed ook zijn kaken op elkaar.

Jaap keek hem even onderzoekend aan. 'Het merkwaardige is verder, dat de zoon van de familie Fong nu juist op die afdeling van het museum stage heeft gelopen. En ook andere sporen wijzen naar Woo Ping.'

Niemand zei iets.

Jaap wees naar de foto. 'Deze man hebben we allang in de smiezen. De man zonder pink. We wisten al dat hij bij meneer Ho hoorde. Maar we hebben hem nooit op heterdaad kunnen betrappen. Dat heeft jullie camera nu gedaan. En gelukkig heeft deze flinke jongeman...,' hij knikte naar Woelf, die beleefd terugkwispelde, 'heeft deze flinke jongen ons nog verder de weg gewezen.'

'Is de politie naar het pakhuis toe?' vroeg Peter.

'O nee,' zei Jaap. 'Daar wachten we nog even mee. De vreemdelingendienst kon maar niet begrijpen hoe al die Chinezen zonder paspoort hier het land in kwamen. Ze dachten wel aan de haven natuurlijk, maar daar is de controle waterdicht. Toch zijn ze bij de sluizen van IJmuiden gaan kijken, waar de schepen langs moeten als ze naar Amsterdam varen. Ze hebben ook onderweg langs het Noordzeekanaal gepost, maar nergens gingen er mannen van boord. Ook de cruiseschepen hielden ze in de gaten. Als die eenmaal in de cruiseterminal zijn kunnen de opvarenden maar één kant op, en dat is de loopplank. Dan lopen ze recht in de armen van de douane.'

Jaap pakte een pen uit zijn zak en tekende op het papieren tafelkleed. 'Kijk, dit is de kade. Hier ligt het schip aangemeerd. En hier, aan de achterkant, wordt drinkwater en ander schoon water aangevoerd, voor huishoudelijk gebruik en voor de keuken en de douches en zo.'

'Sweetwater Inc.!' riep Peter. 'De boot met vers zoet water komt langszij, aan de achterkant, en niemand let daar natuurlijk op. Daar kunnen makkelijk bemanningsleden zonder papieren overstappen op de waterboot en zo aan land komen!'

'Nou, makkelijk...' zei Jaap. 'Er moeten mensen aan boord omgekocht worden om de kapitein voor te liegen, want geen kapitein zal mensen zonder de juiste papieren aan boord nemen. Hij riskeert dat hij zijn schip een hele tijd kwijt is als het ontdekt wordt.'

'Dus de overvaller hoorde bij die zoetwaterwinkel,' zei Yoe Lan.

'Ja, dat blijkt nu,' zei Jaap. 'Dat heb jij met je dappere hond ontdekt!'

Yoe Lan bloosde. Woelf kwispelde.

'En dat is nog niet alles,' ging Jaap verder. 'Door die foto weten we nu dat oom Ho bij de afpersers hoort, en ook weten we dat hij de restaurants van illegale werknemers voorziet, en hoe de mensensmokkel in zijn werk gaat. Dankzij jullie zijn alle raadsels nu opgelost.'

'Dat "mondje dicht" geldt ook voor de politie,' zei Peter scherp. 'Want als die afpersers erachter komen dat wij hun schuilplaats ontdekt hebben, dan lopen we gevaar.'

'Hoe kom je daarbij?' vroeg Jaap. 'Hoe weet je dat jullie gevaar lopen?'

'Dat lijkt me logisch,' mompelde Peter. Nu had hij zelf zijn mond voorbijgepraat.

'Maar wanneer gaan jullie die bende nou oprollen?' vroeg Josie om de politieman af te leiden.

'We gaan op de rol kijken welke cruiseschepen er binnenkomen,' zei Jaap. 'En dan surveilleren we bij het pakhuis. Als de boot van Sweetwater Inc. uitvaart om vers drinkwater te gaan brengen naar een schip bij

de terminal zijn we er als de kippen bij om ze op heterdaad te betrappen.'

'O, mogen wij mee?' vroeg Moerad.

'Jij mag mee,' zei Jaap, 'als...'

'Hoera!' riep Moerad.

'Jij mag mee, als je je politieopleiding hebt afge-
maakt en een echte agent bent,' zei Jaap. 'Want jongens zoals jij kunnen we goed gebruiken. Maar nu
gaan we jullie thuisbrengen.'

Ze protesteerden niet eens, zo moe waren ze. Moerad mocht voor in de politiewagen zitten, omdat hij
jarig was. Hij draaide zich om naar de anderen. 'Weten jullie nog wat er op mijn gelukskoekje stond?'

Er werd van nee geschud met drie hoofden en één
kop.

'Een goede vangst!' zei Moerad tevreden.

Yoe Lan stond op de kade en keek uit over het IJ. Ze had haar fiets voor het koffiehuis vlak bij het station laten staan. Daar hadden ze warme chocolademelk met slagroom gedronken. Yoe Lan was vooruit gegaan, de anderen zouden afrekenen.

'Neem je Woelf niet mee?' had Moerad stomverbaasd gevraagd.

'Nee,' zei Yoe Lan. 'Ik ga alleen.'

Ze trok haar das wat dichter om haar hals. Het was weer gaan vriezen. Schaatsweer, dacht Yoe Lan. Ze hadden nog een week vakantie.

Yoe Lan dacht aan de voorbije dagen en daar werd ze warm van. Op kerstavond, 24 december, hadden ze 's avonds thuis gegeten en gezongen bij de kerstboom. Roel had een vegetarische maaltijd voor haar gemaakt zonder een ei te koken, daar was ze heel blij mee geweest.

Hij had bonen en rijst gebakken met allerlei groentes en vruchten en noten erdoor. 'Sultanschotel,' zei hij trots. 'Ik heb er heel veel kerrie in gedaan. Dan mis je het vlees niet.' Maar Yoe Lan miste het vlees nooit.

Moerad had voor het eerst meegegeten met de anderen. Roel was naar de Turkse slager gegaan en had halal vlees gehaald. Een kalkoen. Hij had hem gevuld met kastanjes en spruitjes. De kalkoen was eerst niet gaar geweest, maar dat was beter dan aangebrand, zei Roel, je moest hem gewoon nog even braden. Want je kon te lange haren wel afknippen maar te korte haren er niet weer aanplakken.

Ze begrepen niet helemaal wat de kapper en de kalkoen met elkaar te maken hadden, maar zoals gewoonlijk lieten ze Roel praten en aten smakelijk verder van de maaltijd die nu eens echt lekker was.

De vorige avond waren ze gaan helpen in restaurant Woo Ping. Daar hadden ze op eerste kerstdag 's avonds een groot diner, en daarna waren ze gesloten. Maar bijna al het personeel was weg. Die waren al in paniek geraakt toen Peter, Josie en Moerad met hun schaatsen de keuken binnen waren gelopen. Ze waren ook weer weggerend toen er overal politie was na de overval. En toen waren de angstige koks zonder papieren niet meer teruggekomen.

Al op kerstavond had Jaap, de politieagent, naar het Boegbeeld gebeld dat ze meneer Ho op heterdaad betrapt hadden bij het smokkelen van mensen die van boord van het cruiseschip China Blossom waren gekomen. Ze waren net op tijd geweest.

De familie van Mei zou nu veilig zijn, dacht Yoe Lan.

Voor één keer had de politie het goed gevonden dat de kinderen de familie Fong uit de brand hielpen. Eigenlijk was het kinderarbeid en dat mocht niet. Yoe Lan begreep dat niet goed. In de keuken helpen was net spelen.

Ze hadden uien gesneden en kruiden fijngewreven in een grote stenen vijzel. Peter mocht vlees hakken met het grote vierkante mes. En daarna hadden Mei en Yoe Lan bediend in het restaurant. Yoe Lan had ook zo'n mooie kimono gekregen en muiltjes, en ze had precies nagedaan wat Mei deed. Ze waren net echte dienstertjes, dacht Yoe Lan.

Ze keek de kade af. Nog niks te zien. Ze stampvoette en sloeg met haar armen om warm te worden.

Vanochtend waren ze moe geweest van het harde werken, of spelen, in Woo Ping. Meneer Fong had hun 's avonds na afloop allemaal tien euro gegeven. Ze zaten aan het ontbijt en bedachten hardop wat ze met dat geld zouden doen, toen de telefoon ging in het kantoor.

Roel lag nog te slapen. Die was de hele eerste kerstdag bezig geweest de oven en het gasfornuis te soppen. Kokkie beschouwde de keuken als haar eigen terrein, en ze werd erg kwaad als ze ook maar een spoor vond van kokkerellende indringers.

Peter nam de telefoon op. Het gesprek duurde een tijdje, maar toen hij terugkwam in de eetzaal zei hij dat het een zakengesprek voor Roel was, en dat hij alles had moeten opschrijven.

'Een zakengesprek op Kerstmis?' zei Josie.

'Het is niet in de hele wereld Kerstmis,' zei Moerad humeurig. 'Je zou verbaasd zijn als je wist hoe klein het stukje wereld is waar het wél Kerstmis is.'

'Maar dit is míjn wereld,' zei Josie.

'Weet je wat,' zei Peter, 'we gaan een eindje fietsen. We zijn allemaal moe en chagrijnig en we hebben frisse lucht nodig.'

'O nee,' kreunden ze. 'Je lijkt Roel wel.'

Maar Peter was onverbiddelijk. Hij pakte de plattegrond van Amsterdam. 'Weten jullie nog wat Jaap zei?' vroeg hij. 'Dat ze overal langs het Noordzeekanaal politieagenten of douane hadden neergezet om te kijken of er stiekem mensen van boord gingen zonder papieren?'

'Gaan we daar naartoe?' vroeg Moerad. 'Dat lijkt me spannend.'

Peter wees op de kaart aan hoe ze langs de goederenhavens bij het Noordzeekanaal konden komen. 'En dan doen we alsof we douaniers zijn en we zoeken naar het geschiktste plekje om verstekelingen met een bootje aan land te laten gaan.'

Dat was ook een soort spel, dacht Yoe Lan, hoewel het voor de douane gewoon werk was. Wat was het verschil dan tussen spelen en werken?

Ze haalden Woelf op, die helemaal niet moe of chagrijnig was. Maar Woelf had de vorige avond dan ook niet in de keuken geholpen bij Woo Ping. Ze hadden hem niet eens meegenomen. Honden in de keuken, dat kon echt niet. Bovendien was Djien toch niet naar Engeland vertrokken, en Yoe Lan wist nog heel goed dat hij Woelf mee had willen nemen om hem in de pan te stoppen en te braden.

Het was bijna een uur fietsen tot ze bij een geschikt plekje aan het kanaal kwamen. Daar had je een goed uitzicht over het water, en er voer op weekdagen een pont. En het allerbeste was, dat er een klein koffiehuisje stond.

Ze dronken voor deze keer allemaal koffie, omdat ze zo moe waren, behalve Woelf die een bak water kreeg. Die had hij in een oogwenk leeg geslobberd, want eigenlijk kon hij de fietsers bijna niet bijhouden. Maar hij was te trots geweest om te klagen. Van zeurpieten hield Woelf niet. Nu zat hij met zijn tong uit zijn bek uit te hijgen.

'Kijk,' zei Peter, 'daar in de verte komt een reusachtig cruiseschip aan. We boffen. Met Kerstmis komen er zeker veel schepen hier.'

En inderdaad, heel in de verte, waar het kanaal een bocht maakte, kwam een torenhoog gevaarte aangetuft.

'En zien jullie dat kleine bootje daar?' vroeg Peter. Ze keken in de richting waar hij heen wees. Er lag een klein kajuitbootje aan de overkant. 'Dat bootje gaat straks opeens varen, als het cruiseschip vlakbij is. En op het ogenblik dat het schip langs vaart springen ze er aan de achterkant van af, zonder dat wij het kunnen zien.'

'Dat verzin je maar,' zei Josie.

'Sst,' zei Moerad. 'Het is juist zo spannend.'

Ze tuurden ingespannen naar het kajuitbootje aan de overkant, en letten niet op het grote cruiseschip dat nu bijna ter hoogte van de veerpont was.

Opeens maakte Yoe Lan een raar geluidje. Het zou een lachje kunnen zijn, of een snik, of misschien had ze de hik. Ze keken allemaal naar haar.

Yoe Lan staarde naar het water. 'Het is de Oriental Star,' zei ze.

Het schip voer nog een paar honderd meter links van hen. *Oriental Star* stond er met blinkende letters op de boeg.

Yoe Lan stond op. 'Het is het schip van mijn vader,' zei ze met een hoge stem.

Ze keken allemaal naar Peter. Nu begrepen ze wat het telefoontje van die ochtend was geweest.

'Kom,' zei Peter.

Ze renden naar buiten.

'Hé, jullie moeten de koffie nog betalen!' riep de baas van het cafeetje.

Maar dat hoorde niemand. Ze holden helemaal naar voren, naar de steiger van de veerpont. En toen konden ze de Oriental Star duidelijk zien langs varen, met de bemanning die over de reling hing en alle honderden raampjes van de passagiershutten. En helemaal op de voorplecht stond een klein figuurtje uit alle macht te zwaaien met een theedoek.

'Vader!' gilde Yoe Lan.

Het figuurtje sprong op en neer om zo hoog mogelijk te komen met zijn geruite vlag. Maar of hij ook iets riep konden ze niet horen, daarvoor maakten de motoren van het reusachtige schip te veel kabaal.

Ze zwaaiden tot de voorkant van het schip uit het zicht verdwenen was. Toen renden ze naar het cafétje, betaalden de koffie en reden terug naar de stad.

'We halen het nooit,' zei Josie na een halfuurtje. 'Woelf loopt te langzaam.'

Maar Yoe Lan wist dat ze op tijd zou komen. Want het duurde heel lang voor het schip aangemeerd was, voordat alle scheepspapieren ingevuld en alle andere zaken geregeld waren. En het personeel ging altijd het laatst van boord.

De kade was lang en recht en leeg. Yoe Lan zag de vertrouwde gestalte van haar vader al van verre aankomen. Hij was eindelijk klaar met uitchecken bij de personeelsbalie van de passagiersterminal.

Yoe Lan keek achterom en zwaaide naar Woelf en naar Peter, Josie en Moerad, die aan het begin van de kade waren blijven staan. Toen liep ze verder.

Haar vader was nogal klein, en hij liep kaarsrecht. Als hij niet meer zou kunnen werken, dacht Yoe Lan, zou hij aan wal komen en dan zou hij erg ongelukkig zijn, want hij hield van de zee. En hij was er trots op dat hij zijn dochter alles kon geven wat ze nodig had.

Yoe Lan was nu al zo dichtbij dat ze de kleine koffer kon zien die hij altijd bij zich had. Daar zaten zijn spullen in voor het hotel, en een cadeautje voor haar.

Yoe Lan begon te rennen en vloog haar vader in de armen.

Hij bromde. Dat betekende zoiets als: 'Ho, ho, je loopt me bijna omver.' Hij liet het koffertje gewoon uit zijn hand vallen en sloeg zijn armen om zijn dochter heen.

Yoe Lan bleef heel lang zo staan. Ze rook de Oriental Star-aftershave die de gasten en het personeel aan boord van het schip kregen. Ze rook vaag de lucht van vissaus, die nooit helemaal uit je huid en uit je kleren verdwijnt, hoe vaak je je ook doucht en je kleren wast.

Maar vooral rook ze haar eigen vader, de geur van zijn huid en zijn haar, de geur die anders is dan alle geuren op aarde en de lekkerste van allemaal. Ze voelde zijn warme armen om haar heen die de winterkou op de vlucht joegen.

Ze stond zo een seconde die wel duizend jaar leek te duren en ze wist dat het beste nog moest komen, de klap op de vuurpijl, de room op de pudding, de mooiste muziek die er ooit gespeeld is.

Haar vader schraapte zijn keel. Hij drukte haar zo dicht tegen zich aan dat ze bijna geen adem kreeg. Hij was een man van weinig woorden, maar vlak bij haar oor zei hij de enige twee woorden die ertoe deden.

'Yoe Lan.'